中國文化二十四品

道生

中国文化二十四品

花雅争胜

南腔北调的戏曲

解玉峰 著

饶宗颐 叶嘉莹 顾问
陈洪 徐兴无 主编

江苏人民出版社

图书在版编目（ＣＩＰ）数据

花雅争胜 : 南腔北调的戏曲 / 解玉峰著. -- 南京 : 江苏人民出版社，2017.1

（中国文化二十四品）

ISBN 978-7-214-17400-0

Ⅰ．①花… Ⅱ．①解… Ⅲ．①古代戏曲－戏剧史－中国 Ⅳ．①J809.2

中国版本图书馆CIP数据核字(2016)第048217号

书　　　名	花雅争胜——南腔北调的戏曲
著　　　者	解玉峰
责 任 编 辑	卞清波
责 任 校 对	史雪莲
装 帧 设 计	刘莘莘　张大鲁
出 版 发 行	凤凰出版传媒股份有限公司
	江苏人民出版社
出版社地址	南京市湖南路 1 号 A 楼，邮编:210009
出版社网址	http://www.jspph.com
经　　　销	凤凰出版传媒股份有限公司
照　　　排	南京凯建图文制作有限公司
印　　　刷	江苏凤凰通达印刷有限公司
开　　　本	652 毫米×960 毫米　1/16
印　　　张	14.25　　插页 3
字　　　数	158 千字
版　　　次	2017 年 1 月第 1 版　2017 年 3 月第 2 次印刷
标 准 书 号	ISBN 978 - 7 - 214 - 17400 - 0
定　　　价	34.00 元

（江苏人民出版社图书凡印装错误可向承印厂调换）

编委会名单

顾 问

饶宗颐

叶嘉莹

主 编

陈　洪（南开大学教授）

徐兴无（南京大学教授）

编 委

王子今（中国人民大学教授）　　司冰琳（首都师范大学副教授）

白长虹（南开大学教授）　　　　孙中堂（天津中医药大学教授）

闫广芬（天津大学教授）　　　　张伯伟（南京大学教授）

张峰屹（南开大学教授）　　　　李建珊（南开大学教授）

李翔海（北京大学教授）　　　　杨英杰（辽宁师范大学教授）

陈引驰（复旦大学教授）　　　　陈　致（香港浸会大学教授）

陈　洪（南开大学教授）　　　　周德丰（南开大学教授）

杭　间（中国美术学院教授）　　侯　杰（南开大学教授）

俞士玲（南京大学教授）　　　　赵　益（南京大学教授）

徐兴无（南京大学教授）　　　　莫砺锋（南京大学教授）

陶慕宁（南开大学教授）　　　　高永久（兰州大学教授）

黄德宽（安徽大学教授）　　　　程章灿（南京大学教授）

解玉峰（南京大学教授）

总 序

陈 洪 徐兴无

我们生活在文化之中,"文化"两个字是挂在嘴边上的词语,可是真要让我们说清楚文化是什么,可能就会含糊其词、吞吞吐吐了。这不怪我们,据说学术界也有 160 多种关于文化的定义。定义多,不意味着人们的思想混乱,而是文化的内涵太丰富,一言难尽。1871 年,英国文化人类学家爱德华·泰勒的《原始文化》中给出了一个定义:"文化,或文明,就其广泛的民族学意义上来说,是包含全部的知识、信仰、艺术、道德、法律、风俗,以及作为社会成员的人所掌握和接受的任何其他的才能和习惯的复合体。"[①] 其实,所谓"文化",是相对于所谓"自然"而言的,在中国古代的观念里,自然属于"天",文化属于"人",只要是人类的活动及其成果,都可以归结为文化。孔子说:"饮食男女,人之大欲存焉。"[②] 在这种自然欲望的驱动下,人类的活动与创造不外乎两类:生产与生殖;目标只有两个:生存与发展。但是人的生殖与生产不再是自然意义上的物种延续与食物摄取,人类生产出物质财富与精神财富,不再靠天吃饭,人不仅传递、交换基因和大自然赋予的本能,还传承、交流文化知识、智慧、情感与信仰,于是人种的繁殖与延续也成了文化的延续。

所以,文化根源于人类的创造能力,文化使人类摆脱了

---

① [英]爱德华·泰勒:《原始文化》,连树声译,谢继胜、尹虎彬、姜德顺校,广西师范大学出版社,2005 年,第 1 页。

② 《礼记·礼运》。

自然,创造出一个属于自己的世界,让自己如鱼得水一样地生活于其中,每一个生长在人群中的人都是有文化的人,并且凭借我们的文化与自然界进行交换,利用自然、改变自然。

由于文化存在于永不停息的人类活动之中,所以人类的文化是丰富多彩、不断变化的。不同的文化有不同的方向、不同的特质、不同的形式。因为有这些差异,有的文化衰落了甚至消失了,有的文化自我更新了,人们甚至认为:"文化"这个术语与其说是名词,不如说是动词。[①] 本世纪初联合国发布的《世界文化报告》中说,随着全球化的进程和信息技术的革命,"文化再也不是以前人们所认为的是个静止不变的、封闭的、固定的集装箱。文化实际上变成了通过媒体和国际因特网在全球进行交流的跨越分界的创造。我们现在必须把文化看作一个过程,而不是一个已经完成的产品"[②]。

知道文化是什么之后,还要了解一下文化观,也就是人们对文化的认识与态度。文化观首先要回答下面的问题:我们的文化是从哪里来的? 不同的民族、宗教、文化共同体中的人们的看法异彩纷呈,但自古以来,人类有一个共同的信仰,那就是:文化不是我们这些平凡的人创造的。

有的认为是神赐予的,比如古希腊神话中,神的后裔普罗米修斯不仅造了人,而且教会人类认识天文地理、制造舟车、掌握文字,还给人类盗来了文明的火种。代表希伯来文化的《旧约》中,上帝用了一个星期创造世界,在第六天按照自己的样子创造了人类,并教会人们获得食物的方法,赋予人类管理世界的文化使命。

---

① 参见[荷兰]C. A. 冯·皮尔森:《文化战略》,刘利圭等译,中国社会科学出版社,1992年,第2页。

② 联合国教科文组织编:《世界文化报告——文化的多样性、冲突与多元共存》,关世杰等译,北京大学出版社,2002年,第9页。

有的认为是圣人创造的，这方面，中国古代文化堪称代表：火是燧人氏发现的，八卦是伏羲画的，舟车是黄帝造的，文字是仓颉造的……不过圣人创造文化不是凭空想出来的，而是受到天地万物和自我身体的启示，中国古老的《易经》里说古代圣人造物的方法是："仰则观象于天，俯则观法于地，观鸟兽之文与地之宜，近取诸身，远取诸物。"《易经》最早给出了中国的"文化"和"文明"的定义："刚柔交错，天文也。文明以止，人文也。观乎天文，以察时变；观乎人文，以化成天下。"文指文采、纹理，引申为文饰与秩序。因为有刚、柔两种力量的交会作用，宇宙摆脱了混沌无序，于是有了天文。天文焕发出的光明被人类效法取用，于是摆脱了野蛮，有了人文。圣人通过观察天文，预知自然的变化；通过观察人文，教化人类社会。《易经》还告诉我们："一阴一阳之谓道，继之者善也，成之者性也。仁者见之谓之仁，知者见之谓之知。"宇宙自然中存在、运行着"道"，其中包含着阴阳两种动力，它们就像男人和女人生育子女一样不断化生着万事万物，赋予事物种种本性，只有圣人、君子们才能受到"道"的启发，从中见仁见智，这种觉悟和意识相当于我们现代文化学理论中所谓的"文化自觉"。

为什么圣人能够这样呢？因为我们这些平凡的百姓不具备"文化自觉"的意识，身在道中却不知道。所以《易经》感慨道："百姓日用而不知，故君子之道鲜矣。"什么是"君子之道鲜"？"鲜"就是少，指的是文化不昌明，因此必须等待圣人来启蒙教化百姓。中国文化中的文化使命是由圣贤来承担的，所以孟子说，上天生育人民，让其中的"先知觉后知""先觉觉后觉"[①]。

---

① 《孟子·万章》。

3

无论文化是神灵赐予的还是圣人创造的,都是崇高神圣的,因此每个文化共同体的人们都会认同、赞美自己的文化,以自己的文化价值观看待自然、社会和自我,调节个人心灵与环境的关系,养成和谐的行为方式。

中国现在正处在一个喜欢谈论文化的时代。平民百姓关注茶文化、酒文化、美食文化、养生文化,说明我们希望为平凡的日常生活寻找一些价值与意义。社会、国家关注政治文化、道德文化、风俗文化、传统文化、文化传承与创新,提倡发扬优秀的传统文化,说明我们希望为国家和民族寻求精神力量与发展方向。神和圣人统治、教化天下的时代已经成为历史,只有我们这些平凡的百姓都有了"文化自觉",认识到我们每个人都是文化的继承者和创造者,整个社会和国家才能拥有"文化自信"。

不过,我们越是在摆脱"百姓日用而不知"的"文化蒙昧"时代,就越是要反思我们的"文化自觉",因为"文化自觉"是很难达到的境界。喜欢谈论文化,懂点文化,或者有了"文化意识"就能有"文化自觉"吗?答案是否定的。比如我们常常表现出"文化自大"或者"文化自卑"两种文化意识,为什么会这样呢?因为我们不可能生活在单一不变的文化之中,从古到今,中国文化不断地与其他文化邂逅、对话、冲突、融合;我们生活在其中的中国文化不仅不再是古代的文化,而且不停地在变革着。此时我们或者会受到自身文化的局限,或者会受到其他文化的左右,产生错误的文化意识。子在川上曰:"逝者如斯夫。"流水如此,文化也如此。对于中国文化的主流和脉络,我们不仅要有"春江水暖鸭先知"一般的亲切体会和细微察觉,还要像孔子那样站在岸上观察,用人类历史长河的时间坐标和全球多元文化的空间坐标定位中国文化,才能获得超越的眼光和客观真实的知识,增强与其他文化交流、借鉴、融合的能力，增强变革、创新自己的文化的能力，这也叫做"文化自主"的能力。中国当代社会人类学家费孝通先生说：

> "文化自觉"是当今时代的要求，它指的是生活在一定文化中的人对其文化有自知之明，并对其发展历程和未来有充分的认识。也许可以说，文化自觉就是在全球范围内提倡"和而不同"的文化观的一种具体体现。希望中国文化在对全球化潮流的回应中能够继往开来，大有作为。①

因为要具备"文化自觉"的意识、树立"文化自信"的心态、增强"文化自主"的能力，所以，我们这些平凡的百姓需要不断地了解自己的文化，进而了解他人的文化。

中国文化是我们自己的文化，它博大精深，但也不是不得其门而入。为此，我们这些学人们集合到一起，共同编写了这套有关中国文化的通识丛书，向读者介绍中国文化的发展历程、特征、物质成就、制度文明和精神文明等主要知识，在介绍的同时，帮助读者选读一些有关中国文化的经典资料。在这里我们特别感谢饶宗颐和叶嘉莹两位大师前辈的指导与支持，他们还担任了本丛书的顾问。

中国文化崇尚"天人合一"，中国人写书也有"究天人之际，通古今之变"的理想，甚至将书中的内容按照宇宙的秩序罗列，比如中国古代的《周礼》设计国家制度，按照时空秩序分为"天地春夏秋冬"六大官僚系统；吕不韦编写《吕氏春

---

① 费孝通：《经济全球化和中国"三级两跳"中的文化思考》，《光明日报》2000年11月7日。

秋》，按照一年十二月为序，编为《十二纪》；唐代司空图写作《诗品》品评中国的诗歌风格，又称《二十四诗品》，因为一年有二十四个节气。我们这套丛书，虽不能穷尽中国文化的内容，但希望能体现中国文化的趣味，于是借用了"二十四品"的雅号，奉献一组中国文化的小品，相信读者一定能够以小知大，由浅入深，如古人所说："尝一脔肉，而知一镬之味，一鼎之调。"

2015 年 7 月

目　录

目　录

中国古代戏曲的民族特质

2011 年年初,《中国国家形象片》(角度篇)开始在纽约曼哈顿的时代广场户外大屏幕滚动播出。这部宣传片长 15 分钟,涉及中国经济、地理风光、精神文化等各方面,几种被认为可代表中国的"名片"被推介给外国人,其中就包括戏曲。中国戏曲得以入选中国"名片",这说明相当多的国人对戏曲这门艺术非常珍视,戏曲一向被称为"民族艺术瑰宝"也绝非偶然。那么,中国戏曲作为中国民族艺术之一,其艺术魅力或者说其民族特质究竟何在? 这将是本章主要探讨的问题。

中国古人的审美趣味与戏剧表现

如果说文学艺术都是由其特有的"内容"及其"形式"共同构成，那么西洋（以及现代）文学艺术的魅力似多来自其"内容"，而中国传统文学艺术的魅力似更偏重其"形式"。这样对比来说，对中国传统文学艺术似颇不公，如此便很容易扣上"形式主义"的大帽子，而对笔者而言实在属诚实之语。

如王羲之等历代书家的书法，其所书写的内容也可能很实用，未必值得称道，如王羲之草书《十七帖》都是书信往复，多为日常琐事，而《十七帖》每字、每笔历来皆被视为至宝，自然全出于书法本身的欣赏，可谓纯粹形式美的欣赏，几无关乎内容。诸葛亮《出师表》、庾信《哀江南赋》、王勃《滕王阁序》等古文名篇千百年来传诵不绝，文字内容真切、自然固然是一方面，其文字形式本身的骈俪工整、舒张有致似更为重

3

要。至于唐宋以来的诗词、律赋、对联等更需要在汉字本身声、韵、调的组合方面劳心费神，以求抑扬顿挫之美。

孔夫子尝云："礼云礼云，玉帛云乎哉？乐云乐云，钟鼓云乎哉？"（《论语·阳货》）孔老夫子认可的君子均应是"文质彬彬"的，他是非常反感形式主义的，他老人家倡导的礼乐当然是有内在的实际内容的，绝非玉帛、钟鼓之类的表面形式摆设。然而，自周公、孔夫子以来，中国文化在历史演进中"质"的一面虽有内在关联和延续，但文化之演进似主要表现为在"文"的一面不断积累和丰富，愈到后来愈有"文"胜于"质"的倾向，骈文、诗词、书画等各类文学艺术偏重形式美感，"审美文化"日益丰富、发展，似有其必然。

中国戏曲在审美趣味方面，其对形式美感的偏重，似在各类中国传统文学艺术中最为突出，以至近人余上沅（1897—1970）称之为一种"纯粹艺术"。我们不妨将其与西洋戏剧对比来看。

西洋戏剧（包括今日流行的影视剧）魅力或激动人心者似主要来自其"内容"，即戏剧"冲突"或"矛盾"的展开与描摹，所谓戏剧"冲突"的发生、发展、高潮、结局。

如古希腊悲剧家索福克勒斯（约前496—前406）的代表作《俄狄浦斯王》。这一著名悲剧取材于希腊神话传说，俄狄浦斯是忒拜国王伊奥斯和王后约卡斯塔之子。他刚出生时，神谕表示俄狄浦斯会犯下弑父娶母的罪行。为了避免这一可怕的命运，伊奥斯刺穿了新生儿的脚踝，并将他丢弃在野外等死。然而奉命执行丢弃婴儿的牧人心生怜悯，偷将婴儿转送邻国科林斯国王吕波斯为子。俄狄浦斯被作为亲子抚养长大后，得知神谕，他会弑父娶母。为避免神谕成真，他离开科林斯，流浪到忒拜国。因在一岔路上与一群陌生人发生冲突，失手杀人，而此人正是其亲生父亲。忒拜人为狮身人面兽斯芬克斯所困,许诺说谁能解开斯芬克斯谜题,拯救城邦,便可获得王位并娶前国王遗孀约卡斯塔为妻。俄狄浦斯解开了斯芬克斯谜题,因而继承王位,在不知情的情况下迎娶了自己的亲生母亲为妻,并生了四位儿女。后来,俄狄浦斯统治下的忒拜国不断发生灾祸与瘟疫,神谕说只有追查到弑父娶母的人并惩罚他,灾祸与瘟疫才能解除。俄狄浦斯用心调查,在先知提瑞西阿斯揭示下,得知自己正是杀父娶母的罪人。他刺瞎了自己双目,自求放逐他国。

《俄狄浦斯王》这一著名悲剧激动人心或引人入胜之处,恰在其贯穿始终的悬念——俄狄浦斯能否摆脱弑父娶母这一可怕的命运?戏剧的核心"冲突"或"矛盾"正是俄狄浦斯与自己命运的抗争,戏剧的展开和结束正是这一"冲突"或"矛盾"的酝酿、制造、紧张和终结。西方优秀的戏剧家,如索福克勒斯,其高明之处正在其始终保持"冲突"的紧张感(悬念),直至戏剧结束。

如果说西洋戏剧主要以戏剧"内容"或思想引人入胜,那么中国戏曲的"内容"如何呢?我们不妨以清康熙时杭州人洪昇(1645—1704)所作著名传奇《长生殿》为例。

《长生殿》所述故事为:唐玄宗在位多年,天下太平,乃寄情声色,下旨选美。见宫女杨玉环才貌出众,册封为贵妃,两人对天盟誓,并以金钗、钿盒为定情之物。贵妃受宠后,其兄弟姊妹俱有封赏。安禄山出兵遭败,按律当斩,因贿赂杨国忠,免于一死,被授京职。春日,唐明皇与杨贵妃游幸曲江,秦、虢、韩三国夫人随驾,唐明皇命虢国夫人入望春宫陪宴并留宿。杨贵妃醋性大发,言语触怒明皇,明皇一怒之下,将她送归相府。此后,唐明皇坐立不安,后悔不已。杨贵妃剪下一缕青丝,托高力士献给明皇,明皇见发思情,命高力士连夜迎接回宫,两人和好如初。安禄山得宠封王,杨国忠与其"将

5

相不和",唐明皇调安禄山任范阳节度使,安禄山到范阳招兵买马,妄图进兵中原,夺取天下。唐明皇宠爱贵妃,共制新舞《霓裳羽衣曲》为乐。明皇私会梅妃,被贵妃发现,明皇不得不告错。唐明皇不惜劳民伤财,从海南运来荔枝,讨好贵妃。安禄山反叛,哥舒翰潼关兵败投降。唐明皇决定奔蜀中避难,行至马嵬驿,军士哗变,杀死杨国忠,并逼迫明皇赐杨妃自尽。唐明皇传位于太子,自己做太上皇。后大将郭子仪奉旨征讨,大败安禄山,收复长安。唐明皇自蜀中归来,仍日夜思念杨妃。访得异人为杨玉环招魂,临邛道士杨通幽奉旨作法,找到杨玉环幽魂。八月十五夜,杨通幽引太上皇魂魄来到月宫与杨玉环相会。其后织女传玉帝旨,指示因果,让二人居忉利天宫,永为夫妇。

《长生殿》全剧五十出,情节内容非常复杂,以上剧情概括实在勉为其难。因为如果说西洋戏剧有主干情节或主要矛盾,抓住这一主干情节或主要矛盾概括剧情还是可行的,那么,包括《长生殿》在内所有传奇,并无贯穿始终的"冲突"或"矛盾"(即主干情节或主要矛盾),故剧情概括不能不是挂一漏万(最客观、明智的做法是依次罗列五十出每出的情节内容,但这又不合于通常所谓剧情概括)。《长生殿》也写到了其中各种人物间的矛盾,如唐明皇、杨贵妃先后因虢国夫人、梅妃等事而生的误会和矛盾,也写到了杨国忠、安禄山之间的利益勾结和矛盾分裂,安禄山反叛后无疑成为唐王室的对立面,而马嵬兵变时矛盾对立的双方一为李隆基、杨玉环,一为其与陈玄礼为首的御林军(而非安禄山的叛兵)。《长生殿》虽然写到了很多种"冲突"或"矛盾",但作者显然并不是以"冲突"或"矛盾"吸引人的——在笔者看来,《长生殿》的整个剧情绝非引人入胜,完全无法跟《俄狄浦斯王》相提并论。其实不独是《长生殿》,《西厢记》《琵琶记》、

《牡丹亭》、《桃花扇》等所有古典名剧，如果有论者一定要论证其"戏剧性"如何如何、情节如何曲折动人云云，实在都不免牵强！

洪昇《长生殿》自属佳构，《长生殿》上演时颇为轰动，"酒社歌楼，非此曲不奏"，时人有诗曰："两家乐府盛康熙，进御均叼天子知。纵使元人多院本，勾栏争唱孔洪词。"（金埴《题桃花扇传奇》）。近人吴梅、王季烈等对《长生殿》的结构技巧皆甚推崇，"自来传奇排场之胜，无过于此"（王季烈《螾庐曲谈》）。所以我们恐怕还是应回到中国文学艺术固有的传统，努力从艺术本身解析《长生殿》，而不能仅从"内容"或"戏剧性"着眼，简单套用西洋戏剧的叙事理论。

中国戏曲的结构体制

　　有人说理解古典诗词,关键是理解古典诗词的格律,若不解格律,即使考据周详、析理入微,"上穷碧落下黄泉",可能终隔一层。诗词格律可谓古典诗词的结构形式,那么中国古典戏曲是否有类似诗词格律一样的结构体制呢?

　　笔者的回答是肯定的,曰"脚色制"。

　　戏剧的本质为扮演,但中西戏剧大有不同。西方剧作家是按照剧情需要设计不同的戏剧人物,演员直接扮为剧中人去表演,而中国戏剧所有的戏剧人物都首先是以生、旦、净、末、丑某门脚色的面目出现(剧本中一般都标明"旦扮某某上"或"生扮某某上",或者直接是"生上"、"净上"),演员都是按照其所属家门的一套表演规范去扮演人物。如《永乐大典》所存《张协状元》,一般认为是最早的宋戏文,也较真实地反映了早期南戏演出的情况。该剧所述故事涉及四十个人物,由生、旦、净、末、丑、外、贴七门脚色(即七个演员)分别串扮。其后的南戏、传奇,不论剧情丰富与否,皆用有限的几种脚色(演员)搬演,多则十一二色(人),少则五六色(人)。如洪昇《长生殿》,该剧故事涉及各种人物七十余,用十一二人规模的家班仍可搬演。

　　脚色实质上是人物的类型化,每门脚色均对应不同的人物类型,生、旦、净、末、丑、外、贴七门脚色,也很类似赤、橙、黄、绿、青、蓝、紫七色,各自担负其所属职能,但各门脚色又相互依存,共同构成一个"整一"——一个简明可辨的人世模型,其中有男女、正反、尊卑、庄谐、老少等各类人物。故各门脚色的相对独立及其相互依存，与五行、八卦颇多类似。

我们之所以认为脚色制对中国戏曲的意义，如同格律之于诗词，主要因为脚色制作为中国戏曲的结构体制，对中国戏曲各方面皆具有决定性意义，这主要表现在以下四个方面：

一、脚色制直接决定了舞台表演的规范性。中国戏剧舞台表演有严格的规范性，演员在台上之一言一行、一颦一笑，皆有严格的要求，若非有常年的训练，在台上必手足无措，故有所谓"台上一分钟，台下十年功"之说。演者在台上的举止言谈、行立坐卧，皆须中规中矩。

演员场上表演的规范性，也就是各自遵守其所属脚色的表演规范。李渔（1611—1680）《闲情偶寄》述及演员材质时谓：

> 取材维何？优人所谓"配脚色"是已。喉音清越而气长者，正生、小生之料也；喉音娇婉而气足者，正旦、贴旦之料也，稍次充老旦；喉音清亮而稍带质朴者，外、末之料也；喉音悲壮而略近嘶杀者，大净之料也。至于丑与副净，则不论喉音，只取性情之活泼、口齿之便捷而已。然此等脚色，似易实难。

笠翁此语主旨在说调教优伶时，可按其先天禀赋斟酌其家门归属，这反过来正说明，不同的脚色家门，其所表现的性情气质应有明显差异。各门脚色的表演皆有规定性要求（梨园行称"尺寸"），这具体表现在唱念、动作、表情、眼神等各个方面。如四大名旦之一的程砚秋，在台下是一位彪形大汉，但其舞台上扮演的女性，瘦弱玲珑，楚楚动人，原因何在？在其各方面均能严守旦脚之表演规范。

明清时期士大夫豢养的家乐，多是十一二岁童伶（取其未变声前）组成的"小班"，这些童伶大多年幼无知，并不能理解戏剧人物的"性格特征"，更谈不上"角色体验"，但他们的演出并不一定逊色于成人，常常颇得主人之欢心。小说《红楼梦》对此有很生动具体的描写。与"小班"恰成对照的"老班"则多由富于表演经验的老年演员组成，如乾隆年间扬州盐商徐尚志豢养的"老徐班"，名工荟萃，为时人共推。据李斗《扬州画舫录》，小生陈九云"年九十，演《彩毫记·吟诗脱靴》一出，风流横溢，化工之技"，马继美"年九十为小旦，如十五六处子"。中国戏曲表演之所以有"男旦"、"小班"或"老班"等现象，是因为各门脚色的表演都有"章"可循，有"法"可遵，若能照"规矩"演出，即能描摹戏剧人物之风神。这也说明，脚色制的（完整的）表演规范在很大程度上保证了（完整的）内容表演。这种情况，对西方戏剧而言似乎是难以想象的！

二、脚色制是演员扮饰和道具（传统上称"砌末"）使用的根本依据。中国戏曲演员舞台上的扮饰、穿戴虽亦有"写实"的，但大多为"虚假"，这也是由脚色制所决定的。丑、末所扮若为底层小人物，则多写实；而生、旦等脚色所扮上层人物，则多虚假。故汉代的书生蔡伯喈（《琵琶记》）与宋朝的书生潘必正（《玉簪记》）在扮饰、穿戴上大致相近。中国戏剧之扮饰、穿戴，除美观的考虑外，最主要的是演员要"明白"地标明其所属家门，观众一看，便可知其在生、旦、净、末、丑中所属哪一家门。昆班在扮饰、穿戴方面最为讲究。如正旦与鞋皮生（或称穷生、黑衣、苦生）两门照例不得敷粉，一示端庄，一示落魄，不许因求"美观"而擅改，须严守所谓"姑苏风范"。戏衣还有"宁穿破，勿穿错"之说，就是说衣服的新、旧是次要的，关键是不能弄"错"了家门。汉代的蔡伯喈之所以与宋代的潘必正从扮饰看大致相似,因其皆为巾生。也正因为如此,《浣纱记》中的西施、《西厢记》中崔莺莺、《拜月亭》中的钱玉莲、《牡丹亭》中的杜丽娘,这些不同时代、不同故事中的"人物"会穿着大致相似的衣服。

砌末的使用与扮饰、穿戴相似,亦以脚色为根本,不计较"写实"与否。道具的使用,尽可能符合脚色的特征,而不是模糊不清。生脚"以鞭代马",其鞭不妨美观一些;丑脚"以鞭代驴",其鞭最宜滑稽有趣。《牡丹亭》中杜丽娘及侍女春香皆用扇,但杜丽娘用的是折扇,小春香用的是团扇。因为前者为闺门旦(五旦),后者为贴旦(六旦),身份、修养有别。巾帼英雄穆桂英在弹词小说中本擅长耍大刀,但戏曲舞台上的穆桂英则是耍花枪的。内中原因很简单:扮穆桂英的旦脚不宜耍大刀,刀、斧、叉、鞭等兵器宜反面脚色或扮异族人使用。

三、脚色制决定了中国戏曲的叙事结构。同样题材的故事,戏文的叙事之所以有别于小说,主要在于戏文叙事不得不考虑生、旦、净、末、丑等不同脚色的调配使用。汤显祖(1550—1616)《牡丹亭》,本于此前产生的话本小说《杜丽娘慕色还魂》。与小说不同的是,《牡丹亭》人物、情节都有很大的增加,话本小说提及人物凡八人,戏文增至四十余人。戏文因此也增加了金兵入侵、李全反叛、陈最良授《诗经》、石道姑禳解、杜丽娘冥间受审等情节。话本小说《杜丽娘慕色还魂》为短篇小说,全文三千余字,而《牡丹亭》为长篇传奇,五十五出、近九万字,故《牡丹亭》人物、情节变得更加繁复似易理解。但小说改编为传奇,最重要的变化其实并非人物、情节的"增",而是其叙事结构的改变。为说明此点,我们不妨将《牡丹亭》前十出的叙事表示如下:

出次	出目	剧情概要	出场脚色
1	标目	副末开场,概说戏文大意。	末
2	言怀	柳梦梅自报家门、志趣,自说半月前曾梦见一美人,与自家有姻缘之分。	生(柳梦梅)
3	训女	南安太守和夫人甄氏堂前训导女儿杜丽娘,欲延请馆师授读。	外(杜宝)、老旦(杜母)、旦(杜丽娘)、贴旦(春香)
4	腐叹	南安府儒学生员陈最良自述家门、怀抱,府学送来杜家请帖。	末(陈最良)、丑(门子)
5	延师	杜宝设拜师之宴,请陈最良教授杜丽娘《诗经》。	外、末(陈最良)、旦、贴(春香)、贴(门子)、丑(皂隶)
6	怅眺	柳梦梅与友人韩秀才闲谈古今文人不遇事,甚为怅惘。	生、丑(韩秀才)
7	闺塾	陈最良在学堂中向杜丽娘讲说《诗经》,春香几番戏闹,报说杜丽娘后花园尽可游赏。	旦、贴、末
8	劝农	杜宝一行春日置买花酒,至乡间劝农,众乡民歌舞升平。	外、净(皂隶、田夫)、贴(门子)、丑(县隶、公人、牧童)、生(父老)、末(父老)、老旦(公人、村妇)、旦(村妇)
9	肃苑	春香传小姐之命,吩咐小花郎清扫花径,准备游园。	贴(春香)、末(陈最良)、丑(花郎)
10	惊梦	杜丽娘游园,触景伤情。归后春情难遣,梦遇柳梦梅。	旦、贴、生、末(花神)、老旦(杜母)

　　小说前半部分主要是以杜丽娘为主线讲述故事,后半部则以柳梦梅为主线,而戏剧副末开场后,首先出场的则是生

扮的柳梦梅(第二出),此后旦、外、老旦、贴旦(第三出)、末(第四出)等依次出场。值得特别指出的是,从叙事而言,如果说生扮的柳梦梅在第十出因杜丽娘之梦而出场是必要的,但其第六出与丑扮的韩秀才谈今论古似非必要。第三出《训女》与第五出《延师》如能直接相接叙事似更顺畅,第四出《腐叹》末扮陈最良出场一番絮叨似不必要。第八出《劝农》从叙事来说也似乎在增添头绪,使叙事不能紧凑。但如果我们考虑到戏文叙事需要穿插、调配生、旦、净、末、丑等不同脚色,《牡丹亭》前十出的这种叙事结构便极易理解!不但是《牡丹亭》前十出,传奇一般都长达三四十出,出与出的衔接一般用对比原则,讲究悲欢交错、庄谐调剂、冷热映衬、文武相间等排场技巧。这些排场技巧,说到底也就是必须考虑生、旦、净、末、丑等各色的调剂搭配。如前场为生脚之富贵荣华,后场为旦脚之孤苦无依;前场为生、旦之别情依依,后场为净、丑之嬉谑浪浪;前场为生脚之驰骋才情,后场为净脚之金戈铁马等等。所以从整体看,戏文叙事多不免散漫冗长、头绪纷繁之嫌,但就“出”与“出”的衔接而言多较为紧凑、有趣。《琵琶记》之后的传奇结局多为大团圆,从外因来看,固然可归为演出习俗或观众心理所致;从内因来看,则因生、旦渐固定扮演正面人物,生旦始离终合亦渐成为程式。这就是说,脚色制的渐趋稳定、规范,是传奇走向大团圆的内因所在。在中国戏剧初始,外因的意义可能较为突出,但随着戏剧的逐渐成熟和脚色制的日渐规范,作为内因的脚色制的意义显得更为重要。由此也才可以理解,早期南戏常见的“负心戏”(非大团圆)现象为何后来明显减少,曲学家沈璟(1553—1610)在其《义侠记》中竟将贾氏配给不解风情的武二郎(《水浒传》故事中武松本无妻室)。

四、脚色制决定了中国戏曲的班社结构。清中叶以前的戏班，一班少则七八人，多则十一二人。胡应麟（1551—1602）《少室山房笔丛》云："今优伶辈呼子弟，大率八人为朋，生、旦、净、丑、副亦如之。"王骥德（1557？—1623）《曲律·论部色》云："今之南戏，则有正生、贴生（或小生）、正旦、贴旦、老旦、小旦、外、末、净、丑（即中净）、小丑（即小净），共十二人，或十一人，与古小异。"卜世臣（1572—1645）《冬青记·凡例》有："近世登场，大率九人。此记增一小旦、一小丑。然小旦不与贴同上，小丑不与丑同上，以人众则分派，人少则相兼，便于搬演。"上述各家关于传统中国戏曲戏班人数的说法不一，但其人数之多少则皆与脚色之多寡密切相关。清中叶前的职业戏班人数多为七八人，分工七八门脚色。如福建泉州梨园戏，旧称"七子班"或"七脚班"，即因一班多有七人，分工生、旦、净、公、婆、丑、末七色。明清士夫缙绅豢养的家班多为十一二人，以凑成"十二脚色"之数。如晚明常熟缙绅钱岱（1541—1622）的家班有伶人十三位，按据梧子《笔梦叙》所载，其家门归属分别为：

末，王仙仙

小生，徐二姐

老生，张寅舍

外，冯观舍

正旦，韩壬壬、罗兰

小旦，吴三三、周桂郎

老旦，张二姐

备旦，月姐

大净，吴小三

二净，张五舍

小净，徐二姐

《笔梦叙》所谓"二净"即"副净","小净"即"丑","备旦"当即"贴旦",故钱岱家班实有(副)末、小生、老生、外、正旦、小旦、老旦、贴旦、大净、副净、丑十一门脚色(钱岱家班演戏之外,多习吹弹歌舞,故旦脚有叠脚)。钱岱家班脚色虽较齐整,但搬戏时仍不得不有兼扮,而且兼司"场面"。《笔梦叙》有"张五舍、徐小二姐每扮杂色登场",冯观舍"唱毕,即戴红毡笠出场,吹笛、弹弦,或偶扮家人等类","扮净者别无他长,第傅粉面作杂衬脚色,或吹弹合曲、打锣走场"。早期南戏《错立身》中的宦门子弟完颜寿马,投身戏班时说自己不但能做戏,而且能"舞得弹得唱得,折莫大擂鼓吹笛"。直至近代著名的昆剧传字辈演员,他们学戏时,也同时学习锣鼓、吹打(包括粗细吹打),故传字辈演员除有专工的家门外,锣、鼓、板、笛等也多能拿得起、放得下。近代传字辈演员的科班训练,实际上反映了数百年来中国戏剧演习的一贯传统。戏班构成中很少有叠脚现象,演员演戏之外也兼司"场面",这都是尽可能降低演出成本,这一点对职业戏班而言尤为重要(家班因有士夫缙绅为经济后盾,不以赢利为目的,故可不必过于计较成本),所以脚色体制也成为中国戏班结构中最根本性的因素。

清中叶以来,乱弹崛起,为适应城市商业性戏园演出,戏班规模较此前明显扩大,三五十人或上百人的戏班很常见。如晚清形成的以名角儿为核心的京班,除演员外,又有专门的音乐科(即场面)、盔箱科(主管行头)、剧装科(负责武行穿戴)、容妆科(负责化妆)、剧通科(即检场人员)、经励科(负责对外接洽演出事务)、交通科(俗称"催戏的")等七科,除头牌、二牌、三牌外,每一家门的演员又按其技艺高低分一路、二路,等级森严,不得僭越。在传统戏班特别是昆班中,演员无贵贱之分,班中演员不论其工于哪门脚色,都可能在前出戏为主角,在后出戏中为配角(戏界称"搭头"),班中没有专门跑龙套的演员,名角班中则有专事龙套的,身份最低。所以在晚清以来的名角班中,脚色制对戏班构成的决定性意义并不显著。但我们可以注意到这样一个事实,近代的名角挑班以老生和青衣为最常见,其他家门挑班较少见,花脸挑班(如金少山)、武丑挑班(如叶盛章)、小生挑班(如叶盛兰)都属变格,维持时间都不长。这是因为在老生或青衣挑班的戏班中,各门脚色相对齐全,剧目选择方面较灵活,更能吸引观众。而其他家门挑班的戏班中,脚色阵容一般不够整齐,剧目选择较多限制,难以长期吸引观众。这也反映了脚色制对名角班的人员组合也仍有根本性意义。

由此可见,生、旦、净、末、丑等不同脚色所构成的脚色制,对我们理解中国戏曲实在有特别重要的意义!

四功五法与程式

　　四功五法与程式是戏曲界常用的一句术语,但关于四功五法及程式的具体指义却颇有分歧。四功,有解释为演员唱、念、做、打四项基本功,或解释为唱、念、做、表四项基本功。五法,一般都解释为手、眼、身、法、步,具体则指演员手、眼、身、步(脚)的技法训练及协调运用于舞台表演,但这样"五法"中的"法"字却无法落到实处,故或有以"腰"(功)或(心)"法"勉强解释"五法"中的"法",而这也一直未能获得共识。

　　程式,一般指义为法式、准则、格式。戏曲表演中所谓程式或程式动作,则主要指一套相对完整、规范的身段表演。如"起霸",据说源于传奇《千金记》的表演,以表现霸王项羽之盖世英武,后来不断加工、凝练,成为所有武将出场都可套用的程式动作,在锣鼓点配合中,有亮相、整盔、提甲、展腿、山膀、云手等一系列程式动作。"起霸"一类的程式可以说是用一系列夸张、规则的与观众达成默契的特殊符号,以表现戏剧人物的身份、性情等特征,是中国戏曲舞台表现非常重要的手段,其他如"趟马"、"走边"、"吊毛"等程式亦然。也有些研究者把一些虚拟性表演,如开关门、上下楼、上马、划船等身段表演也归为程式动作,似嫌过于宽泛了。

　　四功五法及程式的具体指义目前虽有分歧,但很多人在谈及中国戏曲艺术时津津乐道,这是因为戏曲演员台上表演所展示的唱、念、做、打等方面的功夫以及各种程式技巧,实在太容易给观众留下深刻印象——演员台上的言谈举止与人们的日常生活形成极其鲜明的对照!

故近代以来论及中国戏曲之特征时,"歌舞说"、"程式说"非常流行。王国维(1877—1927)说"戏曲者,以歌舞演一故事也",齐如山(1875—1962)归纳"国剧"原理为"无声不歌,无动不舞",赵太侔(1889—1968)认为国剧的重要特点是"程式化"(conventionalization)。

但在笔者看来,四功五法及程式对中国戏曲的意义不宜过于强调和夸大,特别是将其高出于脚色制之上。

这是因为,唱、念、做、打(表)以及各种程式技巧终归是演员表现戏剧人物身份、性情或情感时所使用的某种表现手段和技巧,并非是必不可少或不可替代的。就四功中的"唱"而言,中国戏曲使用"歌唱"的确非常普遍。因为戏剧人物的思想情感往往可以直接用歌唱去表现,有时歌唱还可有叙事的功能(戏剧叙事当然主要用说白),更兼歌唱本身作为听觉艺术也可以令观众获得审美娱乐。但表现戏剧人物的思想情感,除了歌唱,也可以直接念白说出(如话剧),也可以通过表情或身段"做"出来,甚至"打"出来。比如京剧《拾玉镯》中,少年傅朋有意将玉镯丢弃在孙玉姣家门口,是否去拾起这支玉镯——这意味着是否接受傅朋的爱情,孙玉姣一开始非常矛盾。《拾玉镯》正是通过一大段身段表演,表现孙玉姣"拾"起玉镯前内心的矛盾、纠结。与《拾玉镯》相似,《挑滑车》也主要借披挂长靠的武生翻、打、扑、跌等高难度身段动作,表现高宠之英勇气概,而非依赖歌唱。由此可见,"歌唱"只是表现剧中人物思想情感的手段之一,并非必不可少,是否用唱主要根据戏剧人物表现的实际需要,还有演员本身条件的限制:从理想状况而言,演员应追求唱、念、做、打(表)俱工,而实际上一般演员多擅长某一方面,或工于唱,或工于念,或工于做。四功中的"唱"既如此,念、做、打(表)分别作为表现手段之一,当然也不是不可或缺的。行文至此,我们终于可以说,"歌舞"仅仅是一种常用的艺术表现手段,是否用歌舞完全应视戏剧表现需要而定,把载歌载舞视为中国戏曲的根本特征,实在是过于感性的认识。

各种程式动作,与唱、念、做、打(表)一样,也并非是始终不可缺少的。如前举程式"起霸",披挂长靠的武将出场时大多使用,但这是指这位武将作为戏剧主要人物,且有足够表演时间时如此。如果出场的武将并非戏剧主要人物,或者虽为戏剧主要人物,但戏剧叙事不允许留有较多的表演时间,"起霸"的程式动作当然是可以减省的,如何减省完全自由。反过来,披挂长靠的女将或者短打武生,如果为了表现其英武,也不妨简单模拟套用"起霸"的一些程式动作。这两种情况都说明,戏曲舞台上如何使用程式,完全视实际需要而定,并非固定不变的。同时,演员舞台的举手投足或念白、哭、笑等虽多夸张、非自然的表演(人们有时笼统地皆视为"程式"表演),但这些夸张、非自然的表演多用于表现戏剧人物浓烈情感时,如表现戏剧人物沉思、忧郁等思想情感时,演员舞台的言行举止也可以与日常生活一样的自然、写实,各种程式技巧也一无所用。这也就是说,是否使用程式,完全视戏剧表现需要而定,程式表演并非必不可少。认为中国戏曲的重要特征在"程式化",当然大有问题。

我们认为不宜过于强调和夸大四功五法及程式对中国戏曲的意义,乃至将其高出于脚色制之上,这是因为唱、念、做、打(表)等艺术表现手段及各种程式技巧的使用从根本来看是由脚色制相对应的一套表演规范所决定的。如前所述,各门脚色的表演皆有规定性要求(梨园行称"尺寸"),这具体表现在唱念、动作、表情、眼神等各个方面。不同的脚色自然对应不同的唱、念、做、打(表)或程式。同是使用唱、念或使用折扇，生、旦、净、末、丑各有其规格。所属家门不同，则程式自然各异。如近代名伶钱金福（1862—1942）传钞的《身段谱口诀》，一向被视为梨园秘籍，书中述及"云手"云："旦角云手搭于腕，底手垂，上手够于鼻。小生云手搭于肘，小生无拳。云手如抱球，左手对肚脐，花脸右手举过顶，老生右手其眉毛，武生右手其脑门。"同是"起霸"，各行也有不同："生行提下甲，老生露一指，武生露二指，花脸露三指，小生满把攥。"

　　如果我们把中国戏曲比拟为一种建筑，脚色制相当于这一建筑的建筑结构，而唱、念、做、打等表现手段以及各种程式技巧则相当于木、石、砖、瓦等建筑材料。房屋结构得以成型固然离不开各类建筑材料的搭配利用，但相对"结构"而言，材料显然是第二意义的。

中国古代戏曲的起源与形成

　　中国戏曲起源与形成问题，可谓是中国戏曲研究中争议最多的问题。过去人们在这一问题上之所以难成共识，最根本来看是由于每人观念中对"中国戏曲"的界定各各不同，大都过于宽泛。如果我们将"中国戏曲"界定为使用生、旦、净、末、丑等脚色搬演故事的一种戏剧，那么考察中国戏曲的形成最应关注的似应是民间讲唱"故事"的流行，讲唱"故事"的流行可能是催生脚色制的最主要动力，而两宋为中国戏曲的形成可能提供了最合适的经济、文化环境。

戏曲起源与形成诸说

中国戏曲起源与形成问题，可谓中国戏曲史研究中争议最多的问题。自王国维《宋元戏曲史》问世的百余年来，可谓家异其说。至今学界尚未能达成共识。之所以出现这种情况，从根本来看主要是因为研究者们对这一问题的思维路径和观念、方法有不同。概括说来主要有以下几种：

一、巫觋说

王国维《宋元戏曲史》也有戏剧起源的思考，《宋元戏曲史》第一章"上古至五代之戏剧"开篇即提出："歌舞之兴，其始于古之巫乎？"自王国维以后近百年来，不断有学者试图从巫觋或宗教祭祀的角度考察中国戏曲的起源、形成及其历史发展。

现代人之所以把巫觋或宗教祭祀与戏剧起源联系起来自有原因。不论是产生自人类远古时代的巫术活动，还是近万年来人类文明演进中新产生的各种宗教祭祀活动，都出于人类的神灵信仰和崇拜。先民深信，万物有灵，山川湖海、花木虫兽都有"灵魂"，当实体的物质、肉体生命毁灭或死亡后，其"灵魂"仍然不灭，继续游荡于人类生活的世界，在古代中国它们被称为神、仙、鬼、魔、精、怪等，神灵可能给人类带来福祉或者灾祸。人们如果希望祈福避祸，则可通过"巫"[在世界其他地区这种人被称为"灵媒"（spirit medium）或"萨满"（saman）]与鬼神进行交流，向它们贡献物品。巫往往通过歌舞、咒语或其他仪式进入一种迷狂状态，祈请某神灵降附其身，然后以这一神灵的身份和口吻与人交流，待交流完毕后神灵重新回归到它所属的世界，而巫也重新回到现实和理性的人类世界。现代科学尚无法解释上述巫术活动，故在崇信科学的一些现代人眼中这些巫术都被视为迷信，而巫觋"装神弄鬼"，非常类似戏剧的"扮演"。

《诗经》、《左传》、《国语》、《楚辞》等先秦文献有很多巫交通神灵的记述，故王国维《宋元戏曲史》有结论云："（巫）或偃蹇以象神，或婆娑以乐神，盖后世戏剧之萌芽，已有存焉者矣。"王国维之后，冯沅君、闻一多等学者对戏剧源于巫觋更有进一步的证说。

在各种巫术活动中，傩仪因其公开性和公众的普遍参与而特别引人瞩目，历代相关文献记载最多，也最为详实。如《周礼·夏官》有："方相氏掌蒙熊皮，黄金四目，玄衣朱裳，执戈扬盾，帅百隶而时难（傩），以索室驱疫。大丧，先柩；及墓，入圹，以戈击四隅，驱方良。"《论语·乡党》有："乡人傩，（孔子）朝服而立于阼阶。"傩仪至今犹存，自应源自上古，但傩仪中巫人头戴面具、手执兵器以驱邪祟的仪式内容则始终未变。

各种巫术活动（包括傩）由于长期被视为"封建迷信"不能公开活动，但二十世纪八十年代，因为动员了文化系统大量科研人员共同参与的大型科研项目《中国戏曲志》编撰的启动，研究人员在各地陆续发现了各种形态的傩（戏），这些被发现的傩戏后来大多被冠以地域性名称作为当地"剧种"受到关注，如傩堂戏、桃园戏、阳戏、地戏、梓潼戏、关索戏、端公戏、僮子戏、赛戏、对戏、跳五猖、香潼戏、师道戏、饶鼓杂戏、坛戏、洪山戏、嚎啕神戏、藏戏等。此后国内相继召开多次傩戏会议，傩戏作为中国戏曲的"活化石"的提法也开始出现。如1987年2月在安徽贵池召开的傩戏研究会论文集后来出版时即题为"傩戏·中国戏曲的活化石"。近年"非物质文化遗产"热中，各地傩戏作为各地的"地方文化"再次得到关注，中国戏曲源于巫觋说也不断得到回应。

二、倡优说

中国戏曲舞台表演的主体为职业优伶，明清时期"优伶"一词与戏曲演员基本同义，故近世"优孟衣冠"一词也成为演员演戏的代名词，这样在人们考察中国戏曲起源时，关注前代优伶的表演形式和内容是很自然的。

王国维在考察中国戏曲起源时非常看重优人史料。其所著《宋元戏曲史》不因巫觋而废优伶："巫觋之兴，虽在上皇之世，然俳优则远在其后。……要之，巫与优之别：巫以乐神，而优以乐人；巫以歌舞为主，而优以调谑为主；巫以女为之，而优以男为之。至若优孟之为孙叔敖衣冠，而楚王欲以为相；优施一舞，而孔子谓其笑君，则于言语之外，其调戏亦以动作行之，与后世之优，颇复相类。后世戏剧，当自巫、优二者出。"

由于历代帝王多豢养倡优以供谐笑,其相关史料多且易得,故后来探讨戏剧起源者多乐于利用此类史料,将《史记·滑稽列传》所载"优孟衣冠"事等赋予特别重要的意义。

自二十世纪五十年代以来,在戏剧起源与形成问题上用力最勤,且最看重倡优一系者,当推任二北(半塘)先生。任先生曾在五十年代初先后编成《优语集》(1952)、《唐戏弄》(1958)。任先生认为,春秋时的优孟衣冠是"历史上最健全的一出戏",中国戏曲史至少应始自汉晋(他希望有研究者写出一部"汉晋戏剧史",以便与他的"唐五代戏剧史"相接),而唐代的《踏摇娘》、《西凉伎》等则是"全能戏"。唐崔令钦《教坊记》所载《踏摇娘》表演如下:

> 北齐有人,姓苏,鮑鼻。实不仕,而自号为"郎中"。嗜饮酗酒。每醉辄殴其妻。妻衔悲,诉于邻里。时人弄之:丈夫著妇人衣,徐行入场,行歌。每一叠,旁人齐声和之云:"踏摇,和来!踏摇娘苦,和来!"以其且步且歌,故谓之"踏摇"。

《踏摇娘》为何可称"全能戏"呢?任先生解释说:"(全能)指唐戏不仅以歌舞为主,而兼由音乐、歌唱、舞蹈、表演、说白五种技艺,自由发展,共同演出一故事,实为真正戏剧也。"

任先生追溯戏剧起源偏重倡优表演,且认为中国戏曲唐五代时已高度成熟,这使他在中国戏曲起源与形成问题上跟王国维形成较大差异,也引发了后来的很多讨论和思考。

三、百戏说

近代以来,在探讨中国戏曲起源时注意到汉代百戏散乐,特别是其中的角抵戏及"东海黄公",当始于王国维《宋元戏曲史》。自二十世纪三十年代起,有些学者则更进一步挖掘和研究百戏散乐。1933年,邵茗生在当时著名的戏剧研究专刊《剧学月刊》第二卷第九、十两期相继发表了《汉魏六朝之散乐百戏》、《唐宋明清之散乐百戏》两篇长文。三十年代以后出版的各种戏剧史著作在论及戏剧起源时,一般都会论及汉代百戏散乐中的角抵戏"东海黄公"。

考察中国戏曲起源问题,偏重百戏散乐一路,前辈学者中周贻白先生用力最多。周贻白先生在其《中国戏曲史长编》自序自道其缘由云:"戏剧夙有综合艺术之称。在中国,因其脱胎于古之散乐,所包括之事物,尤为繁复。"《中国戏曲史长编》第一章"中国戏曲的胚胎",其第一节"周秦的乐舞",第二节"汉魏六朝的散乐",第三节"隋唐歌舞与俳优"。由这样的章节设置可见,周贻白先生的考察虽亦有巫觋、俳优方面的考虑,但百戏散乐显然很被看重。且在周贻白先生观念中,"百戏"作为总称,俳优之戏也可包括在百戏中,而"中国戏曲之单称为'戏',似乎也是由这个总称分支出来,而成为专门名词。其中确也有不少的东西,在戏剧的形成上有相当的帮助。"故周贻白先生非常看重角抵戏"东海黄公"的意义,这一角抵戏见载于《西京杂记》:

> 有东海人黄公,少时为术,能制蛇御虎。佩赤金刀,以绛缯束发,立兴云雾,坐成山河。及衰老,气力羸惫,饮酒过度,不能复行其术。秦末,有白虎见于东海,黄公乃以赤金刀往厌之。术既不行,遂为虎所杀。三辅人俗用以为戏,汉帝亦取以为角抵之戏焉。

周贻白先生认为这一表演有人物扮演、有故事情境,"中

国戏曲的产生,应当以此作为起源"。也正是按照这种思路,他也非常重视孟元老《东京梦华录》目连救母杂剧的记载:

> 七月十五日,中元节……勾肆乐人自过七夕,便般目连救母杂剧,直至十五日止,观者倍增。

周贻白先生认为北宋时目连救母杂剧"基本上已经具有后世戏剧所应具备的条件"。值得指出的是,历来目连戏的演出都杂有翻梯、跳索、蹿火、筋斗、蹬臼等百戏表演,这也可以解读为他认为百戏对中国戏曲的形成有特别重要的意义。

周贻白先生之后,董每戡《谈"角抵""奇戏"》,吴国钦《中国戏曲史漫话》,以及张庚、郭汉城主编《中国戏曲通史》等论著在探讨戏剧起源问题时,也都非常看重散乐百戏的意义。如《中国戏曲通史》第一章"戏曲的起源"论角抵戏云:"按'角抵'、'蚩尤'均称'戏'。《说文解字》云:'戏,三军之偏也,一曰兵也。'这个解释从金文《师虎殷铭》中得到证明。可见戏字是与战斗有关的……古代凡称'戏'的一类表演,多带有竞技的意思。"由这样的字源学考证,也可以提醒研究者们探讨戏剧起源为何会偏重百戏。乾隆中叶以来,各种地方戏崛起,与民间武术有密切关联的武戏颇受普通民众的喜爱,唱、念、做、打也逐渐被认为演员的四项基本功。这种现状也可以解释百戏说为何成为戏剧起源诸说之一种。

四、多源说(综合说)

以上,我们为叙述之便,将历来探讨戏剧起源与形成问题的学术理路分为巫觋说、俳优说、百戏说三类,而事实上大多数学者在论及这一问题时,多采取折衷的办法,极少偏执一端,也就是认为中国戏曲的来源是多途的(也不仅限于巫觋、俳优、百戏三大类）。如王国维《宋元戏曲史》讨论元杂剧之前的前七章内容所反映的：中国戏曲源自上古巫术，历经先秦以来的俳优、百戏、唐歌舞戏、参军戏、宋滑稽戏、小说杂戏、乐曲、宋金杂剧院本等多源综合而成。目前一般戏剧史著作多采纳多源说或综合说，因为这样按时间线性展开，可充分利用《宋元戏曲史》以来发现的各种文献史料，也可见中国戏曲艺术的"综合性"和"源远流长"。

除以上四种说法外，还有"外来说"和"傀儡戏说"。许地山先生早在二十世纪二十年代曾发表长篇论文《梵剧体例及其在汉剧上底点点滴滴》（1927），提出汉唐以来中印文化交流较多，印度戏剧可能影响了中国戏曲形态。孙楷第先生二十世纪四十年代曾先后写成《近世戏曲的演唱形式出自傀儡戏影戏考》（1940）、《傀儡戏考原》（1944）两文，认为"宋之戏文、元之杂剧殆由傀儡戏影戏蜕变而来。宋之戏文、元之杂剧，实即肉傀儡或大影戏也"。这些两种说法后来也有一些影响，但目前接受者不多。

中国戏曲形成的条件与可能

关于近百年来中国戏曲起源与形成问题,争议甚多。值得注意的是,大家利用的文献史料基本相同:"优孟衣冠"、"东海黄公"、"兰陵王"、"踏摇娘"、"目连救母"、宋金杂剧院本等,但为何学者们最终推导所得的结论竟可以有如此大的差异?

从根本来看,是由于人们观念中的"中国戏曲"界定各各不同。从表面看来,研究者都在讨论中国戏曲,都在讨论中国戏曲的起源,实际上大家心目中的"中国戏曲"是不尽相同的。"中国戏曲",如果从最宽泛的意义上说,其指义可以是中国本土上曾经发生过或者现在仍然存在着的各种戏剧现象和戏剧形态(可英译为 Drama in China);但如果从严格的意义上说,其指义可以是指最有民族特征、民族气质的一类戏剧(可译为 Chinese Drama)。当然,严格意义的"中国戏曲"(Chinese Drama)是否存在是可以质疑的,正如人们可以质疑"中国文化"相对世界其他民族文化是否确有相对独立的特征一样。由于学者们大都认为中国戏曲的确很特别、很有特色,故我们暂且假定严格意义的"中国戏曲"这一概念可以成立。

那么严格意义的"中国戏曲"应如何界定? 实事求是地说,过去学术界在探讨戏剧起源与形成问题时,虽未必明确提出自家对"中国戏曲"的界定,但一般还是有一些内在观念或模糊界定的。如王国维《戏曲考原》中所说:"戏曲者,谓以歌舞演故事也。"在王国维的观念中,戏曲的基本特征(及其概念界定)即是以歌舞为形式演绎一故事。王国维显然也是按这一观念考察戏剧起源的,故能歌善舞的巫、优率先进入其视野。但这种界定显然太宽泛、含混:"故事"的情节长短有何标准? 歌、舞必然并用还是可仅其中之一? 如仅有"念"、"做"(或"打")而无歌、舞如何? 如戏曲仅限以"歌舞演故事"当如何与西方歌舞剧区别? 等等。

但王国维的"歌舞演故事"对后来影响极大,许多学者正是在"歌舞"、"故事"两关键词的导引下,各取所需地扩大或缩写"中国戏曲"的内涵、外延。

不同于王国维,也有些学者观念中更加注重"扮演"或"假扮"故事而并不特别看重"歌舞",如周贻白、任二北先生等,这种观念中显然也仍然潜在危机性问题:与西洋戏剧相比,"中国戏曲"是否有其特有的民族性特征?

故"中国戏曲"概念的界定问题乃是探讨中国戏曲起源与形成问题的前提性,且是关键性问题。如探讨中国戏曲起源与形成,首先我们不得不探索中国戏曲的根本性特征,以便对"中国戏曲"进行严格界定。

在笔者看来,"中国戏曲"最特别处乃在其以生、旦、净、末、丑等脚色构成的脚色制为形式搬演故事。若从脚色制的使用来看,《中国大百科全书·戏曲卷》所收三百多个"剧种"可以分为以下三大类:一是使用生、旦、净、末、丑等脚色,可以搬演情节内容较为丰富的历史故事或才子佳人故事的"大戏",如"昆剧"、"京剧"、"川剧"、"豫剧"、"梨园戏"等;二是不使用脚色制,仅有两三个演员、以歌舞或戏谑取悦于人的表演,常称为"戏弄"(如踏摇娘)、"二小戏"、"三小戏",如各地的采茶戏、花灯戏、二人转等;三是与巫术或宗教祭祀相关的各种仪式,其目的主要是驱邪祈福或招魂还愿,而非供耳目之娱,这对当事人而言主要不是表演性的"戏剧",如中国西南、西北等经济文化较落后地区保留下来的各种形态的傩（所谓"仪式性戏剧"）。在笔者看来，脚色制反映了中国人特有的审美观念，故使用生、旦、净、末、丑的戏剧可谓最富有民族特色，而各种歌舞小戏及各种"仪式性戏剧"与世界其他民族相比，并没有太多特殊性。

故中国戏曲的起源与形成问题实质上可以置换为：生、旦、净、末、丑等脚色构成的脚色制，其产生的可能性或基本条件是什么？戏剧"起源"的问题大可搁置勿论，因为几乎所有事物起源的讨论，其意义都远远小于关于事物形成条件探讨的意义。

然后，我们可以进一步思考：使用生、旦、净、末、丑的这类戏剧是产生自民间社会，还是上流社会？它的产生是渐变，还是突变？行文至此，我们应当补充交代：中国戏曲产生和形成于民间社会而非上流社会，它在历史长河中经历了一个由萌芽、生长、发展和成熟的不断演进的过程，这可以说是近百年来学术界基本共识。

笔者也认为，中国戏曲产生和形成于经济文化资源都相对贫乏的民间社会而非上流社会。当这类戏剧出现或形成时，优人们卖欢供笑的对象主要是底层社会引车卖浆一流的愚夫愚妇而非达官贵人。

生、旦、净、末、丑等脚色构成的脚色制作为一种表演体制实际上是一种尽可能减少人力成本的集约型体制，而中国历代的帝王贵族从来都有非常丰富的人力资源，其奴仆少则数十人，多则可达上千人。如春秋时鲁国大夫季氏曾以"八佾舞于庭"，孔夫子闻之非常愤怒："是可忍也，孰不可忍也？"（《论语·八佾》）因为按周礼，天子之乐八佾，诸侯六佾，大夫四佾。季氏身为大夫，竟僭礼用八佾，居心叵测。春秋末礼崩乐坏，僭礼者当不止季氏，八佾舞用六十四人，诸侯和权臣所蓄家乐数十上百人者应很多。裴子野《宋略》载刘宋事谓："王侯将相,歌妓填室;鸿商巨贾,舞女成群。"北魏杨衒之《洛阳伽蓝记》说拓跋雍:"童仆六千,妓女五百……出则鸣驺御道,文物成行,铙吹响发,笳声哀啭;入则歌姬舞女,击筑吹笙,丝管迭奏,连宵尽日。"可见对王侯贵族而言,奴仆甚多,不必斤斤计较于五六门脚色以节约成本也。

当然如果优人较多,比如一戏演出的演员四五人或更多,其所表演的也未必是有一定情节长度的故事。且看洪迈《夷坚志》"优伶谏戏"条记载北宋末的一段戏剧表演:

> 蔡京作宰,弟卞为元枢。卞乃王安石婿,尊崇妇翁。当孔庙释奠时,跻于配享而封舒王。优人设孔子正坐,颜、孟与安石侍侧。孔子命之坐,安石揖孟子居上,孟辞曰:"天下达尊,爵居其一,轲仅蒙公爵,相公贵为真王,何必谦光如此。"遂揖颜,曰:"回也陋巷匹夫,平生无分毫事业,公为命世真儒,位貌有间,辞之过矣。"安石遂处其上。夫子不能安席,亦避位。安石惶惧拱手,云:"不敢。"往复未决。子路在外,情愤不能堪,径趋从祀堂,挽公冶长臂而出。公冶为窘迫之状,谢曰:"长何罪?"乃责数之曰:"汝全不救护丈人,看取别人家女婿。"其意以讥卞也。时方议欲升安石于孟子之右,为此而止。

唐宋优人颇喜与孔子相关的故事表演,此戏共使用优人六人,分别扮演孔子、颜回、孟子、王安石、子路、公冶长(孔子婿)。其表演的场所显然为某达官贵人的厅堂,观看这一表演的达官贵人或很多,其真正指向的观众仅一人:蔡卞("其意以讥卞也")——讥讽尊崇其岳丈过甚,足令公冶长为之惭愧。

这一表演实为唐宋时流行的"参军戏"（宋时亦称"杂剧"），王国维等称为"滑稽戏"，此类表演多以博人一粲为目的，其实质就是卖欢供笑于达官贵人——当然今日留存的此类表演多具有"讽谏"的意义，也只有此类继承所谓优孟"讽谏"传统的才可能被记载，其他则大多云散。"弄孔子"这一表演当然应视为"戏剧"，但值得指出的是，参加表演的六位优人并无生、旦、净、末、丑等类型化表演的特征，其"故事"长度也实在太短，不能算为"真正戏剧"。

现在我们或应提出：凡戏剧性表演，如当场演员过少，仅两三人（如前述"东海黄公"、"踏摇娘"表演），必不能搬演情节较丰富的故事；虽然当场演员四五人或更多，并不必然意味着其所演之事一定情节丰富（如前引"弄孔子"），但当场演员四五人或更多，演出丰富有一定情节长度的故事才有可能①。这也就是说，如戏剧表演使用到生、旦、净、末、丑等脚色，其所演出的故事必定是情节较丰富的、有一定情节长度的故事。如果中国戏曲形成于民间社会，只有民间社会拥有（很多）情节较丰富的、有一定情节长度的故事，底层的民众们才会可能想到用生、旦、净、末、丑等一套脚色去搬演。

简言之，丰富的、有一定情节长度的"故事"恰是推动脚色制这一戏剧结构体制的根本性因素。只有先有了"内容"（故事），然后"内容"才可能选择或决定其存在的"形式"（脚色制）。中国戏曲的形成或脚色制的出现似应是一种突变，而非渐变。也就是说，考察中国戏曲的形成问题，我们首先应关注的恰恰应是"故事"，而非如何"扮演"故事。而过去近百年，学术界的注意力大多集中于巫、优的"扮演"或各种

---

① 如经典童话故事《小红帽》，若只有小红帽、大灰狼、外婆三人，故事势必很难丰富，如添一猎人便可曲折很多，如再增小红帽的哥哥或爸爸，故事虚构又当有极大情节空间。

"戏"了,也过于信从渐变了。

那么,中国民间社会何时开始拥有丰富的、有一定情节长度的"故事"? 这些"故事"又是在何种情况下与生、旦、净、末、丑等脚色构成的脚色制相结合呢?

这样,我们考察中国戏曲的形成问题,战线似乎就不必过长,起自先秦或上古,我们或者可集中目光于唐宋,或更集中于两宋。

两宋经济文化环境与中国戏曲的形成

  自二十世纪初日本史学家内藤湖南（1866—1934）"唐宋变革说"提出以来，"唐宋转型"（Tang-Song transformation）一直是史学界的热门话题。唐宋的社会转型或主要体现在以下几个方面：

  制度方面。科举制的更普遍实行，自下而上的人才选拔通道因此更为畅通，贵族的政治文化权力更多为庶民阶层所分享，最终是文官制度的确立。

  技术方面。印刷技术的普及，促使书籍由"钞本时代"转变为刻本时代。印刷与学校的普及，使得平民有可能共享中国文化资源。

  经济方面。"安史之乱"后江南地区得到进一步的开发，精耕细作的经济得到持续发展，人口持续增长，最终超过北方，商品交换更广泛展开，民间财富的积累和消费娱乐的流行渐为常态。

  以上三方面的任何一方面或不足以引起深刻变化，而这三方面因素恰恰偶然性地交替出现，因此促成了中国由中古到近世的深刻转变，思想、文化方面也开始出现新的变化，而中国戏曲的产生也正是其中的变化之一。

  如前所述，丰富的、有一定情节长度的"故事"可能是推动脚色制这一戏剧结构体制形成的根本性或前提性要素。那么中国民间社会何时开始有丰富的、有一定情节长度的"故事"？

  笔者的回答是可能很晚，至少唐中叶以前尚不可能。中国有深厚的史传传统,上流社会作为文化资源的主要拥有者,当然有丰富的见诸文献的故事,如赵氏孤儿、鸿门宴或三国故事等等。但对于不知"文"的小民而言,他们则无法直接拥有这些故事,即使二十四孝那样的简单故事也需辗转获得,仅靠口耳相传而不形之于文字也会使得他们偶然获得的故事很快流失。

"说话"或讲说故事当然起源甚早,但直至隋唐时文献记载的讲说故事的主体仍主要是上层的士大夫或俗讲僧人,其演说故事的地点主要限于达官贵人的厅堂或寺庙。直到北宋后期,职业性的"说话"人才成为讲说故事的主体,其演说故事的场所也变为城镇瓦肆勾栏、茶坊酒楼。孟元老《东京梦华录》卷五《京瓦伎艺》条:

> 崇、观以来,在京瓦肆伎艺:张廷叟、孟子书主张……孔三传、耍秀才,诸宫调。毛洋、霍伯丑,商谜。吴八儿,合生。张山人,说诨话……霍四究,说三分。尹常卖,五代史。文三娘子叫果子。其余不可胜数。不以风雨寒暑,诸棚看人,日日如是。

值得注意的是,崇宁(1102—1106)、大观(1107—1110)为宋徽宗年号,目前所见反映城市伎艺之盛的史料皆在崇、观以后,如果说城市伎艺之盛是经济发达的表征,这说明在徽宗时北宋经济可能正趋向最大规模,而北宋的经济、文化可能正是在这位北宋诸帝中被认为最昏庸,也最富艺术才能的帝王时走向高峰。何炳棣先生认为,崇、观年间全国户数已超过 6 000 万,中国的实际人口在历史上首次突破 1 亿大关,而自西汉元始二年(2 年)以来,中国人口始终未能突破 6 000 万。靖康之乱近半个世纪后的南宋淳熙(1174—1189)年间，江南的经济、文化才得到全面复苏。这从无名氏《西湖老人繁盛录》、耐得翁《都城纪胜》、吴自牧《梦粱录》、周密《武林旧事》等文献中略可窥见。

南宋中叶时杭州民间伎艺、游乐、饮食之盛已远过汴京，商品经济的发展使得行业划分更加繁富，职业性的"说话"有专门性的行会组织。这些"说话"人大都是底层读书人。宋代学校教育的普及造就了无数曾怀有科举梦的读书人，但进入仕途者毕竟非常有限，科考梦破灭后，许多读书人便利地选择了以"文"为生的说书生涯。罗烨《醉翁谈录》"小说开辟"说到这些人的才学修养时云：

> 夫小说者，虽为末学，尤务多闻，非庸常浅识之流，有博览该通之理。幼习《太平广记》，长攻历代史书。烟粉奇传，素蕴胸次之间；风月须知，只在唇吻之上。《夷坚志》无有不览，《琇莹集》所载皆通。动哨中哨，莫非《东山笑林》；引倬底倬，须还《绿窗新话》。论才词有欧、苏、黄、陈佳句；说古诗是李、杜、韩、柳篇章。举断模按，师表规模，靠敷衍令看官清耳。只凭三寸舌，褒贬是非；略圃万余言，讲论古今。

由此可见，说书人须具有多方面的修养、技能，所谓"曰得词"、"念得诗"、"说得话"、"使得砌"，且须博学多才、饱读诗书，这些说书人的艺名与读书人相关者颇多，如戴书生、周进士、朱万卷、王六大夫、徐宣教、许贡士、张解元、李郎中等，这些艺名也可见其以读书人身份为荣。也正是这些读书人成为中国文化上通下达的中间人和普及者，底层不知"文"的小民得以知悉其耳目见闻之外的各种故事。南宋史学家郑樵（1104—1162）在其所著《通志》中对这些读书人的传播之功有非常生动的描述：

> 又如稗官之流，其理只在唇舌间，而其事亦有记载。
> 虞舜之父、杞梁之妻，于经传所言者不过数十言，彼则演
> 成千万言。东方朔三山之求，诸葛亮九曲之势，于史籍
> 无其事，彼则肆为出入。

由上可见，因为职业说书人的出现，民间社会当开始拥有丰富的、有一定情节长度的"故事"已无可疑，推动脚色制这一戏剧结构体制形成的根本性或前提性要素已然具备。

当然，脚色制的产生还有赖其他更多因素。"故事"究竟在何种情况下组合其他因素促成脚色制的产生？

这当然离不开北宋末以来高度发达的经济以及神灵信仰、节日等这样可以汇集民间资财以便进行集体性娱乐的文化背景。但从内在因素看，主要是各种伎艺的相互竞争和启发，特别是其中日趋繁富的类型化娱乐表演。商品经济的高度发展，促成社会分工和行会的发达。周密《武林旧事》卷三"社会"条谓：

> 二月八日为桐川张王生辰，霍山行宫朝拜极盛，百
> 戏竞集，如绯绿社（杂剧）、齐云社（蹴球）、遏云社（唱
> 赚）、同文社（耍词）、角抵社（相扑）、清音社（清乐）、锦标
> 社（射弩）、锦体社（花绣）、英略社（使棒）、雄辩社（小
> 说）、翠锦社（行院）、绘革社（影戏）、净发社（梳剃）、律华
> 社（吟叫）、云机社（撮弄）。而七宝、滌马二会为最。

《武林旧事》此处提及的伎艺表演类的"社"（行）已达十五种，其实远不止这些，吴自牧《梦粱录》卷十九"社会"条谓：

正月初九日玉皇上帝诞日,杭城行香诸富室,就承天观阁上建会。北极佑圣真君圣降及诞辰,士庶与羽流建会于宫观或于舍庭。诞辰日,佑圣观奉上旨建醮,士庶炷香纷然,诸寨建立圣殿者,俱有社会,则诸行亦有献供之社。遇三元日,诸琳宫建普度会,广度幽冥。二月初三日梓潼帝君诞辰,川蜀仕官之人,就观建会。三月二十八日,东岳诞辰。四月初六日,城隍诞辰日。二月初八日,霍山张真君圣诞。四月初八日,诸社朝五显王庆佛会。九月二十九日,五王诞辰日。每遇神圣诞日,诸行市户,俱有会迎献不一。如府第内官,以马为社。七宝行献七宝玩具为社。又有锦体社、台阁社、穷富财钱社、遏云社、女童清音社、苏家巷傀儡社、青果行献时果社、东西马塍献异松怪桧奇花社。鱼儿活行以异样龟鱼呈献。

由此可见当时各种"社"及诸"社"集"会"之多。值得注意的是,各行会皆有不同服饰装束,如《东京梦华录》卷五《民俗》载:

其士农工商、诸行百户,衣装各有本色,不敢越外。谓如香铺裹香人,即顶帽披背。质库掌事,即着皂衫角带,不顶帽之类。街市行人,便认得是何色目。

与这种社会风气相应,出现了许多类型化的娱乐表演,也出现了各类"准脚色"。据《武林旧事》二百八十种"官本杂剧段数"、《辍耕录》六百九十种"院本名目",有"旦"(姐)、"孤"、"酸"、"厥"、"卜"、"和"(禾)、"爷老"、"偌"、"哮"、"邦老"、"列良"、"都子"、"良头"、"防送"、"徕"、"哨"、"生"等。

当然更典型的则是《梦粱录》"伎乐"条的记述：

> 且谓杂剧中末泥为长，每一场四人或五人。先做寻常熟事一段，名曰艳段；次做正杂剧，通名两段。末泥色主张，引戏色分付，副净色发乔，副末色打诨，或添一人名曰装孤。

笔者认为，这一记载中的（宋）"杂剧"仍是"故事"太简单的滑稽戏，与后来的"温州杂剧"（南戏）、"元杂剧"有天壤之别，但宋"杂剧"表演中的"副净"、"副末"、"装孤"显然为类型化表演。

除了以人为表演主体的类型化表演，傀儡、影戏的类型化倾向也非常值得关注，吴自牧《梦粱录》"百戏伎艺"条谓：

> 凡傀儡，敷演烟粉、灵怪、铁骑、公案、史书历代君臣将相故事话本，或讲史，或作杂剧，或如崖词。如悬线傀儡者，起于陈平六奇解围故事也，今有金线卢大夫、陈中喜等，弄得如真无二……更有弄影戏者，元汴京初以素纸雕簇，自后人巧工精，以羊皮雕形，用以彩色妆饰，不致损坏。杭城有贾四郎、王升、王闰卿等，熟于摆布，立讲无差。其话本与讲史书者颇同，**大抵真假相半，公忠者雕以正貌、奸邪者刻以丑形，盖亦寓褒贬于其间耳。**

傀儡戏、影戏显然在充分利用说书人普及的各种"故事"，傀儡、影戏都是人物模型，且"公忠者雕以正貌、奸邪者刻以丑形"——这距离"真正戏剧"已近在咫尺，只要用"人"来替代傀儡、影戏的模子即可！

以说书人普及的各种"故事"作为原始推动力,选择某些类型化表演且进行重组——比如吸收"参军戏"的副净、副末以及歌舞小戏的"装旦"、"扮男"(孤、生),如此,只要召集五六位伎艺人组成一班,共同谋生,且重新分派其类型职能,即可敷衍"故事",这当然远胜傀儡、影戏的人物模型摆弄或说书人一人的单调说唱——"似恁唱说诸宫调,何如把此话文敷衍"(《张协状元》副末开场)。如此,中国民族戏剧便告诞生!

把不同来路的伎艺人召集、重组,从此演戏谋生,这是一种非常重大的选择,很需要一位头脑灵活且有胆识的人跳出来倡议。吴自牧《梦粱录》提到的南宋各类"闲人"们很有趣,也颇值得关注:

> 又有讲古说今、吟诗和曲、围棋抚琴、投壶打马、撇竹写兰,名曰"食客",此之谓"闲人"也。更有一等不著业艺,食于人家者,此是无成子弟,能文、知书、写字、善音乐,今则百艺不通,专精陪侍涉富豪子弟郎君,游宴执役,甘为下流,及相伴外方官员财主,到都营干。又有猥下之徒,与妓馆家书写柬贴取送之类。更专以参随服役资生,旧有百业皆通者,如纽元子,学像生叫声,教虫蚁,动音乐,杂手艺,唱词白话,打令商谜,弄水使拳,及善能取覆供过,传言送语……更有一等不本色业艺,专为探听妓家宾客,赶趁唱喏,买物供过,及游湖酒楼饮宴所在,以献香送欢为由,乞觅赡家财,谓之"厮波"。

南宋时的"闲人"们是否可能会借祭祀神灵或节日庆典等时机,召集几位伎艺人搬演戏剧?"闲人"们生存之道自然甚多,说他们可能为中国戏曲的始作俑者当然是笔者的一种推测。笔者引述这一则材料主要想说明北宋后期,特别是南宋中叶,在其特有的经济、文化环境中,中国民族戏剧的产生有很大的偶然性,也有很大必然性。

古代戏曲类别之一:南戏与传奇

　　在中国古典戏曲中,南戏、传奇为其中最重要的一类。一般论著中多称为"宋元南戏"、"明清传奇",就其结构体制而言,实为一类,都是穿插使用生、旦、净、末、丑等脚色进行叙事,长度一般三四十出。所不同者,早期多为民间戏剧,一般称之为"南戏"(专说其文本时我们称"戏文");后来因文人的参与,其文化品格日渐提升,戏剧结构也日趋规范,一般称之为"传奇"。由于文人撰写传奇成为风尚,大概是十六世纪中叶后才发生的,南戏、传奇大概也可以此为界。

早期南戏及《琵琶记》

　　从现存史料看，南戏可谓中国最早出现的成熟的戏曲样式，但其具体形成年代今已无法考证。关于南戏之形成，最引人注目的文献记载出自明中叶著名的吴中才子祝允明（1460—1527），其所著《猥谈》"歌曲"条谓：

　　　　自国初以来，公私尚用优伶供事。数十年来，所谓南戏盛行，更为无端，于是声音大乱。南戏出于宣和之后、南渡之际，谓之温州杂剧。予见旧牒，其时有赵闳夫榜禁，颇述名目，如《赵贞女蔡二郎》等，亦不甚多。以后日增，今遍满四方，转转改益，又不如旧。而歌唱愈缪，极厌观听，盖已略无音律腔调……妄名余姚腔、海盐腔、弋阳腔、昆山腔之类，变易喉舌，趁逐抑扬，杜撰百端，真胡说也。

按祝允明所说,南戏出现于靖康之乱前后。值得注意的是,当时如祝允明一样的文人们对于乱声音之道的南戏非常鄙夷,故谓之"温州杂剧"。"杂剧"者,杂戏也,自然与正统的代表礼乐文化的雅乐相对。

祝允明之后,最常被征引的记述南戏的文献是嘉靖时人天池道人(今人多误为徐渭)所作《南词叙录》:

> 南戏始于宋光宗朝,永嘉人所作《赵贞女》、《王魁》二种实首之。故刘后村有"死后是非谁管得,满村听唱蔡中郎"之句。或云宣和间已滥觞,其盛行则自南渡,号曰"永嘉杂剧",又曰"鹘伶声嗽"。元初,北方杂剧流入南缴,一时靡然向风,宋词遂绝,而南戏亦衰。

永嘉为温州之旧称,"温州杂剧"当然同于"永嘉杂剧"。至于"鹘伶声嗽",洛地先生释为"永嘉杂剧"的语音腔调。按天池道人的说法,南戏形成的年代为南宋中叶,比祝允明所说的北宋末,大概晚七八十年。但天池道人或许也读过祝允明《猥谈》,故又模棱两可,"或云宣和间已滥觞",也就是认为南戏也有可能更早些出现。

其他有关南戏形成及流传的记述当然还有很多,如元初刘埙(1240—1319)《水云村稿》卷四"词人吴用章传"有:"至咸淳(1265—1274),永嘉戏曲出。泼少年化之,而后淫哇盛正音歇,然州里遗老犹歌用章词不置也。"元刘一清《钱唐遗事》云:"至戊辰、己巳间(1268—1269),《王焕》戏文盛行于都下。始自太学,有黄可道者为之。"这些文献都说明南戏可能最早流行于温州,而后流传都城杭州及南宋各地,元灭南宋后则进一步流传至山东、河南、河北等地。

宋元戏文今多亡佚，天池道人《南词叙录》"宋元旧篇"所载录六十五种戏文名目大概可见其内容：

> 《赵贞女蔡二郎》、《王魁负桂英》、《陈巡检梅岭失妻》、《鬼元宵》、《王祥卧冰》、《王十朋荆钗记》、《杀狗劝夫》、《朱买臣休妻记》、《莺莺西厢记》、《司马相如题桥记》、《陈光蕊江流和尚》、《孟姜女送寒衣》、《裴少俊墙头马上》、《柳耆卿花柳玩江楼》、《刘锡沉香太子》、《贺怜怜烟花怨》、《史弘肇故乡宴》、《苏小卿月下贩茶船》、《陈叔万三负心》、《京娘怨燕子传书》、《欢喜冤家》、《乐昌公主破镜重圆》、《吕洞宾三醉岳阳楼》、《周处风云记》、《王月英月下留鞋》、《刘知远白兔记》、《赵氏孤儿》、《苏秦衣锦还乡》、《赵普进梅谏》、《董秀才花月东墙记》、《宋子京鹧鸪天》、《诈妮子莺燕争春》、《蒋世隆拜月亭》、《崔君瑞江天暮雪》、《王公绰》、《柳文直正旦贺升平》、《秋夜銮城驿》、《秦桧东窗事犯》、《王孝子寻母》、《冯京三元记》、《朱文太平钱》、《薛云卿鬼做媒》、《吕洞宾黄粱梦》、《贾似道木棉庵记》《何推官错勘尸》、《柳毅洞庭龙女》、《吕蒙正破窑记》、《苏武牧羊记》、《孟月梅锦香亭》、《张孜鸳鸯灯》、《林招得三负心》、《唐伯亨八不知音》、《百花亭》、《冤家债主》、《刘文龙菱花镜》、《刘盼盼》、《生死夫妻》、《宝妆亭》、《教子寻亲》、《刘孝女金钗记》、《借烛寻珠》、《多月亭》、《闵子骞单衣记》、《蔡伯喈琵琶记》、《王俊民休书记》

钱南扬先生《戏文概论》据《南词叙录》"宋元旧篇"、《永乐大典目录》卷三十七、《南曲九宫正始》、《寒山堂曲谱》等文献共得宋元戏文二百三十八本,其实际当远不止此数。从《南词叙录》"宋元旧篇"等所载戏文名目看,有两个现象颇值得注意:一是早期戏文题材类型非常广泛,后世有所谓"十部传奇九相思",但早期戏文中婚恋题材尚未占绝对优势;二是早期戏文有不少悲剧结局者,这说明彼时戏文尚属质朴叙事,不必如后世戏文一样有意修饰为团圆结局。

现存最早的、较多保留宋元戏文旧貌的为《永乐大典戏文三种》。明永乐元年(1403)编成的《永乐大典》原收戏文三十三本,二十七卷,今仅存最后一卷,钞录《张协状元》、《宦门弟子错立身》、《小孙屠》三种。此三种戏文近人合称为"永乐大典戏文三种"。钱南扬先生所著《永乐大典戏文三种校注》,校注精审,为学界推重。

《永乐大典戏文三种》中的《张协状元》时代最早,学术界一般认为出自宋人。全剧五十三出,主要叙述书生张协与王贫女患难中结为夫妻,应试中状元后张协负心杀妻,王丞相女王胜花因张协未接丝鞭入赘相府,愤懑而亡。王丞相后收贫女为女儿,张协因王丞相而再与贫女团圆。

《张协状元》的故事情节多有不合情理处,最终的生旦团圆殊为勉强。此剧副末开场中有:"《状元张叶传》,前回曾演,汝辈搬成。这番书会,要夺魁名。"可见今本《张协状元》乃是书会先生据早前的《状元张叶传》重新改编的,而此前的演出本中张协可能更为邪恶,最终结局很可能是不团圆的。

《张协状元》共使用七门脚色,其脚色扮演情况是:生扮张协,旦扮王贫女,贴扮王胜花,兼扮养娘,末扮李大公、堂后官,兼扮张协友、土地等人,丑扮王相、小二,兼扮圆梦先生、张协妹、小鬼等人,净扮李大婆,兼扮脚夫、柳永、山神等人,外扮王夫人,兼扮张协父等人。值得指出的是,《张协状元》中生所扮张协明显有邪恶色彩,后世生一般扮正面人物。

净、丑所扮的人物类型比较接近，都有滑稽谐趣色彩（后世净一般扮大奸大恶，丑扮底层小人物）。贴扮王胜花作为二号旦脚，戏份非常少，且迟至第十三出才出场（后世贴扮女性如果为戏剧的二号旦脚，一般戏份较多，第三、四出即出场，如《琵琶记》贴扮牛小姐第三出即出场）。此剧净、丑、末等脚色插科打诨甚多，常偏离叙事。

《永乐大典戏文三种》中的《错立身》，一般认为出自元人。今本有四五出残缺不全，钱南扬先生《永乐大典戏文三种校注》将其分为十四出，该剧记叙贵族子弟完颜寿马因爱恋戏子王金榜，离家出走，最终找到王金榜所在戏班，并成为戏班的一员。《错立身》共使用六门脚色，其脚色扮演情况是：生扮完颜寿马，旦扮王金榜，净扮老都管，末扮王金榜父，兼扮院公、使者，虔扮王金榜母，外扮延寿马父。《错立身》所用的脚色虔，很类似元人杂剧的卜儿，后世一般用老旦。此或说明彼时尚无"老旦"这一脚色名目。《错立身》仅十四出的长度，生旦第十二出已团圆，戏剧最终结局于完颜寿马与其父亲团圆。

《永乐大典戏文三种》中的《小孙屠》，一般也认为出自元人。全剧二十出，记叙书生孙必达娶水性杨花的妓女李琼梅为妻，李琼梅与奸夫朱令史合谋杀死梅香，诬陷孙必达入狱。孙必达弟小孙屠也被骗入牢房，遭盆吊而死。幸得东岳泰山府君救助，降甘露令其还阳。剧终包拯审理此案，李、朱二人被凌迟处死。《小孙屠》共使用六门脚色，其脚色扮演情况是：生扮孙必达，末扮孙必贵，兼扮孙必达酒友，旦扮李琼梅，净扮朱令史，兼扮孙必达酒友、媒婆、王婆、禁子，婆扮孙必达母，外扮包拯、东岳泰山府君。此剧生所扮孙必达好酒、昏聩，旦所扮李琼梅也有邪恶色彩，这种生、旦后世鲜见。此剧末脚所扮小孙屠笃诚、正直，戏份最多，乃至超过生脚的戏

《古本戏曲丛刊》影印北京图书馆藏迻录《永乐大典》本《小孙屠》书影

份。扮孙必达母的"婆"后世一般用老旦，故《小孙屠》的"婆"与《错立身》的"虔"类似。《小孙屠》的叙事除主要围绕人命案外，还插叙孙必达母在小孙屠陪同下往泰山还愿、归途中死于旅店事。这样故事终了时兄弟虽则团圆，仍不免遗憾。

自《永乐大典戏文三种》的脚色使用等情况看，迟至元代，戏文结构仍不稳定、规范。

除《永乐大典戏文三种》外，现存完整的宋元戏文还有二三十种，其中最著名的为《荆钗记》、《白兔记》、《拜月亭》（又称《幽闺记》）、《杀狗记》（简称"荆、刘、拜、杀"）和《琵琶记》。"荆、刘、拜、杀"四种戏文，一般被认为是元代最著名的四种戏文。如果拿《永乐大典戏文三种》与这四种戏文比较，我们可以看到后者跟后来的传奇显然更近：各脚色所扮演的人物类型与后世出入不大，且都是大团圆结局。这四种戏文虽各有多种刻本，但多于明代中后期刊刻（唯《白兔记》存有明成化间刻本），故可能皆屡经修改，有元、明两朝二三百年的文化累积和沉淀，很难推测其早期面貌。这些戏文正如《三国演义》、《水浒传》等小说一样，都属于"世代累积型"作品，其作者多应为底层社会的书会先生，故明人王骥德《曲律》有："古曲自《琵琶》、《香囊》、《连环》而外，如《荆钗》、《白兔》、《破窑》、《金印》、《跃鲤》、《牧羊》、《杀狗劝夫》等记，其鄙俚浅近，若出一手。岂其时兵革孔棘，人士流离，皆村儒野老涂歌巷咏之作耶？"

在现存宋元戏文中，《琵琶记》当然最值得瞩目。作者高明（1307？—1359），字则诚，号菜根道人。浙江温州瑞安人。性聪慧，少即以博学称。元至正五年（1345）中进士，历任处州录事、浙东阃幕都事、绍兴府判官、福建行省都事、庆元路推官等职。方国珍曾强留置幕僚，力辞不从。至正十七年（1357）辞官隐居宁波，闭门谢客，以词曲自娱。工诗文，有

《柔可斋集》二十卷。《琵琶记》应为其隐居浙东时所作。

高明《琵琶记》是对早期民间戏文《赵贞女》的改作,旧本中"伯喈弃亲背妇,为暴雷震死"(《南词叙录》),显然为悲剧故事,近代民间小戏《小上坟》犹有唱词云:"正走之间泪满腮,想起了古人蔡伯喈。他上京中去赶考,赶考一去不回来。一双爹娘冻饿死,五娘抱土垒坟台。坟台起至三尺土,从空降下琵琶来。身背琵琶描容像,一心上京找夫回。找到京城不相认,哭坏了贤惠女裙钗。贤惠五娘遭马践,到后来五雷殛顶蔡伯喈。"在高明创作《琵琶记》的元末,戏文终了须团圆或已成为戏场共识。如改为团圆结局,那就只能是将背亲弃妻的负心汉,改写成"全忠全孝蔡伯喈"。

《琵琶记》成为近五六百年来剧场影响力可能最大的剧作(直至近半个世纪其剧场地位始被《牡丹亭》超越),除曲辞的雅致、贴切外,最主要的是使用一首首抒情诗,成功塑造了一位忠贞孝义、感人至深的赵五娘。《琵琶记》后来留下的折子戏多以赵五娘为主,著名的如《吃糠》、《剪发》、《卖发》、《描容》、《别坟》等,以赵五娘为主折子戏的数量远超过以蔡伯喈为主的折子。

《琵琶记》的男主人公蔡伯喈从总体而言,也是真切自然、令人同情的人物。《琵琶记》写出了蔡伯喈的人生困境:在家尽孝、夫妻厮守不能("辞试父不从"),辞官回乡尽孝不能("辞官皇帝不从"),"辞婚丞相不从"。"三不从做成灾祸天来大",自己最终陷入背亲负妻的结局。蔡伯喈荣华富贵时,对妻子赵五娘的思恋、对不能尽孝的自责也都发自内心。在中国传统伦理社会,夫妇之"爱"自然需让位于对父母的"孝"、对君主的"忠"。如果说夫妇之"爱"与"孝"、"忠"无法构成冲突,但"孝"、"忠"这两种伦理有时不免有矛盾冲突,"孝"、"忠"不能两全。本来高明也可以使蔡伯喈忠孝两全

（被强赘入牛府后，书信送达家乡，迎接父母入京），但由于其所本《赵贞女》故事流传已久，赵五娘之忠贞以及双亲冻饿而死、赵五娘琵琶寻夫等主要关目不便改动，而且只有双亲冻饿而死才可进一步突出赵五娘的恪尽孝道，所以高明在《琵琶记》中设计了"拐儿贻误"一节：家书被拐儿骗走，致音信不通三年，双亲死亡不知——这在后来人看来或许是很大的情节疏漏，但当时人（包括高明本人）可能并不太计较——他们可能更关心贤惠的赵五娘是否会好人好报，所以戏剧终了"一夫二妇，一门旌表"的"大团圆"结局是最好的结局，于是有了"全忠全孝蔡伯喈"。

原典选读

高明《琵琶记》第二十出　五娘吃糠①

[旦上,唱]【山坡羊】　乱荒荒不丰稔的年岁,远迢迢不回来的夫婿,急煎煎不耐烦的二亲,软怯怯不济事的孤身己②。衣尽典,寸丝不挂体。几番要卖了奴身己,争奈没主公婆教谁看取③?[合]④思之,虚飘飘命怎期? 难捱,实丕丕灾共危⑤。

【前腔】　滴溜溜难穷尽的珠泪,乱纷纷难宽解的愁绪,骨崖崖⑥难扶持的病体,战钦钦⑦难捱过的时和岁。这糠呵,我待不吃你,教奴怎忍饥? 我待吃呵,怎吃得? [介]苦! 思量起来不如奴先死,图得不知他亲死时。[合前]

[白]奴家早上安排些饭与公婆,非不欲买些鲑菜⑧,争奈无钱可买。不想婆婆抵死⑨埋怨,只道奴家背地吃了甚么。不知奴家吃的却是细米皮糠,吃时不敢教他知道,只得回避。便埋怨杀了,也不敢分说。苦! 真实这糠怎的吃得。[吃介⑩,唱]

---

①　陆贻典钞本《琵琶记》本不分出、无出目,钱南扬先生《琵琶记校注》分出、加出目,此处依从。此出主要描写赵五娘恪尽孝道,背里吃糠充饥,奉侍公婆。公婆本有误解,得知实情后,婆婆伤心而亡。本出曲辞质朴感人,舞台传唱甚广,俗称"吃糠"。

②　不济事:不能成事,不顶用。孤身己:孤身一人。

③　看取:照看,照料。

④　合:戏文中的"合"有两种意义,一是指二人或更多人合唱,二是指"合头"。戏文常连用同一曲牌,第一曲上注"合"字,下一支曲同处则不再重出曲辞,仅标注"合前",即"合头同前"。

⑤　实丕丕:实实在在。

⑥　骨崖崖:瘦骨嶙峋的样子。

⑦　战钦钦:即战兢兢,形容由于害怕、寒冷等原因而颤抖。

⑧　鲑(guī)菜:古时鱼类菜肴的总称,此处指美味菜肴。

⑨　抵死:犹言无论如何。

⑩　介:戏文表示动作用"介",元杂剧一般用"科"。吃介,即做出吃的样子。

【孝顺歌】 呕得我肝肠痛，珠泪垂，喉咙尚兀自牢嗄住①。糠！遭砻②被舂杵，筛你簸扬你，吃尽控持③。悄似④奶家身狼狈，千辛万苦曾经历。苦人吃着苦味，两苦相逢，可知道欲吞不去。[吃吐介，唱]

【前腔】 糠和米，本是两倚依，谁人簸扬你作两处飞。一贱与一贵，好似奶家共夫婿，终无见期。丈夫，你便是米么，米在他方没寻处。奶便是糠么，怎的把糠救得人饥馁？好似儿夫出去，怎的教奶供给得公婆甘旨⑤？[不吃放碗介，唱]

【前腔】 思量我生无益，死又值甚的！不如忍饥为怨鬼。公婆年纪老，靠着奶家相依倚，只得苟活片时。片时苟活虽容易，到底日久也难相聚。谩把糠来相比，这糠尚兀自有人吃，奶家的骨头，知他埋在何处？

[外、净⑥上探，白]媳妇，你在这里说甚么？[旦遮糠介][净搜出打旦介][白]公公，你看么？真个背后自逼逻⑦东西吃，这贱人好打！[外白]你把他吃了，看是什么物事？[净荒吃介][吐介][外白]媳妇，你逼逻的是甚么东西？[旦唱]

【前腔】 这是谷中膜，米上皮，将来逼逻堪疗饥。[外、净白]这是糠，你却怎的吃得？[旦唱]尝闻古贤书，狗彘食人食⑧。[白]公公，婆婆！须强如草根树皮。[外、净]这的不嗄杀了你？[旦唱]嚼

---

① 兀自：还，仍然。牢嗄（shà）：指被（糠）紧紧地卡住，不能下咽。
② 砻（lóng）：磨碾。
③ 吃尽控持：受尽折磨。
④ 悄似：犹言直似、浑似。
⑤ 甘旨：美味的食物。
⑥ 外、净：这里外、净两脚色分别扮赵五娘的公公、婆婆。
⑦ 逼逻：安排。
⑧ 狗彘（zhì）食人食：《孟子·梁惠王》有："狗彘食人食而不知检。"意谓富贵人家的猪狗吃的比穷人还好，而富人仍不加节俭。

雪餐毡①苏卿犹健,餐松食柏倒做得神仙侣。纵然吃些何虑?〔白〕公公,婆婆!别人吃不得,奴家须是吃得。〔外、净白〕胡说!偏你如何吃得?〔旦唱〕爹妈休疑,奴须是你孩儿的糟糠妻室!

〔外、净哭介,白〕原来错埋冤了人。兀的不痛杀了我!〔倒介,旦叫介,唱〕

【雁过沙】 他沉沉向迷途,空教我耳边呼。公公,婆婆!我不能尽心相奉事,番教你为我归黄土。公公,婆婆!人道你死缘何故?公公,婆婆,你怎生割舍得抛弃了奴!

〔白〕公公,婆婆!〔外醒介,唱〕

【前腔】 媳妇,你耽饥事公姑。媳妇,你耽饥怎生度?错埋冤你也不肯辞,我如今始信有糟糠妇。媳妇,我料应不久归阴府。媳妇,你休便为我死的把生的受苦。〔旦叫婆婆介,唱〕

【前腔】 婆婆,你还死教奴家怎支吾?你若死教我怎生度?我千辛万苦回护丈夫,如今到此难回护。我只愁母死难留父,况衣衫尽解,囊箧又无。〔外叫净介,唱〕

【前腔】 婆婆,我当初不寻思,教孩儿往皇都。把媳妇闪②得苦又孤,把婆婆送入黄泉路,只怨是我相耽误。我骨头未知埋在何处所?

〔旦白〕婆婆都不省人事了,且扶入里面去。正是:青龙共白虎同行,吉凶事全然未保。〔并下〕

〔末上白〕福无双至犹难信,祸不单行却是真。自家为甚说这两句?为邻家蔡伯喈房,名唤做赵氏五娘子,嫁得伯喈秀才,方才两月,丈夫便出去赴选。自去之后,连年饥荒,家里只有公婆两口,年纪八十之上,甘旨之奉,亏杀这赵五娘子,把些衣服首饰之类尽皆典卖,籴些粮米做饭与公婆吃,他却背地里把些细米皮糠逼逻充饥。唧唧,这般荒年饥岁,少什么③

---

① 嚼雪餐毡:西汉苏武出使匈奴被拘,不肯变节,被放至北海牧羊,渴则吃雪,饥则吞毡。

② 闪:害,使受损害、折磨。

③ 少什么:不少。

有三五个孩儿的人家,供膳不得爹娘。这个小娘子,真个今人中少有,古人中难得。那公婆不知道,颠倒把他埋冤。今来听得他公婆知道,却又痛心,都害了病。俺如今去他家里探取消息则个①。[看介]这个来的却是蔡小娘子,怎生恁②地走得慌?[旦慌走上介,白]天有不测风云,人有旦夕祸福。[见末介]公公,我的婆婆死了。[末]我却要来。[旦白]公公,我衣冠首饰尽行典卖,今日婆婆又死,教我如何区处③?公公可怜见,相济则个。[末白]不妨,你婆婆衣衾棺椁之费皆出于我,你但尽心承值公公便了④。[旦哭介,唱]

【玉包肚】 千般生受,教奴家如何措手?终不然把他骸骨,没棺椁送在荒丘?⑤[合]相看到此,不由人不珠泪流,正是不是冤家不聚头。[末唱]

【前腔】 不须多忧,送婆婆是我身上有。你但小心承值公公,莫教又成不救。[合前][旦白]如此,谢得公公!只为无钱送老娘。[末白]娘子放心,须知此事有商量。[合]正是:归家不敢高声哭,惟恐猿闻也断肠。[并下]

——清陆贻典钞本《琵琶记》

---

① 则个:语气助词,用法略表示委婉或商量、解释的语气。
② 恁:这样,如此。
③ 区处:应付,对付。
④ 承值:照料,关照。
⑤ 椁(guǒ):套于棺外的大棺。

明中叶后的传奇风尚和汤、沈

高明《琵琶记》之后,文人开始不断参与戏文的撰写,如无名氏(今多误为邱濬)《五伦全备记》,邵灿《香囊记》,沈采《千金记》,姚茂良《双忠记》,王济《连环记》,沈受先《三元记》,陆采《明珠记》《南西厢记》,徐霖《绣襦记》,郑若庸《玉玦记》等。但这些文人多为底层文人,影响力有限,戏文写作还未成为风尚。

传奇写作成为风尚是明嘉靖后期才渐次发生的。从根本原因看,以苏州为中心的江南地区,在经历了宋末、元末一系列的战乱以及明初重农抑商政策后,其商品经济在嘉靖后期开始迎来飞跃性发展,社会风气、习俗及哲学思想、文学艺术等也逐渐发生深刻变化,明代文化(实际是晚明文化)在江南逐渐成型后波及全国。明中叶后,文人竞相撰写传奇,时人感叹说:"名人才子踵《琵琶》、《拜月》之武,竞以传奇鸣。曲海词山,于今为烈。"(沈宠绥《度曲须知》)。这种风气的形成,具体而言,有以下两个原因:

一是家班豢养之风。明中叶以前,中国戏曲的搬演主要是职业戏班和家庭戏班,但明中叶以后随着江南商品经济的日渐发达,官场的腐败,民间财富的积累和奢侈享乐之风的流行,缙绅阶层豢养家班成为风尚。张翰(1513—1595)《松窗梦语》有:"(吴越)二三十年间,富贵家出金帛,指服饰器具,列笙歌鼓吹,招致十余人为队,搬演传奇。好事者竞为淫丽之词,转相唱和。一郡城之内,衣食于此者,不知几千人矣。人情以放荡为快,世风以侈靡相高,虽逾制犯禁,不知忌也。"屠隆（1542—1605）所著《鸿苞》亦云："余见士大夫居乡，豪腴奢心不已。日求田问舍，放债取息。奔走有司，侵削里闬。广亭榭，置玩器，多僮奴，饰歌舞。"家班不同于职业戏班者，其演出完全取决于家班主人的口味，只要主人感兴趣的剧目，即可交付搬演，不像职业戏班那样更多看重盈利而搬演"荆、刘、拜、杀"等老戏。家班主人多为缙绅，也多喜附庸风雅，对文人们撰写的新传奇往往更有兴趣，故文人新作常常很快即登于场上。而且，家班主人往往聘请著名教习对伶人严格训练，家班主人中也大有知音明戏者，故家班的演艺水准往往超过职业戏班，成为职业戏班的效仿对象。其结果是文人新作如果家班搬演成功，很快即传至职业戏班，从而在社会上流传开去。故家班的风行，对文人撰写传奇有极大的推动之功。家班豢养之风至清中叶时因清廷三令五申的禁止，逐渐消歇。家班风行的二百余年，可以说是中国戏曲史中文化生态最好的时期。

二是魏良辅（1489—1566）、梁辰鱼（1519—1591）改革昆山腔。早期南戏在各地演出时，自然当以各地方言土语唱念，祝允明《猥谈》提到的"余姚腔"、"海盐腔"、"弋阳腔"、"昆山腔"皆是。按，江西弋阳属赣方言区，浙江余姚、海盐及江苏昆山三县本皆属吴方言区。如果考虑到传统中国大方言区内部各县可能方言差别很大，南戏演唱所用声腔绝不限于这四种，成百上千是很可能的（只要当地有戏班）。各地戏班各以方言入唱，至近代犹然，这样戏班活动范围必然受局限。魏良辅、梁辰鱼改革昆山腔，首先是改方言入唱为官话入唱。故嘉靖前期"昆山腔止行于吴中"，而后则通行大江南北。其次，最重要的是改畸农、市女顺口可歌的、无规则的"随心令"为高度规范的依字声行腔的歌唱，接续此前宋词传统。明代著名曲学家沈宠绥《度曲须知》总结魏、梁之唱曰："尽洗乖声,别开堂奥,调用水磨,拍捱冷板,声则平上去入之婉协,字则头腹尾音之毕匀。功深镕琢,气无烟火,启口轻圆,收音纯细。"也正因如此,改革后的"昆山腔"一时士俗风靡。顾起元《客坐赘语》云:"士大夫禀心房之精,靡然从好。"沈德符《万历野获编》则称:"近年士大夫享太平之乐,以其聪明寄之剩技……吴中缙绅则留心声律,如太仓张工部新,吴江沈吏部璟,无锡吴进士澄时,俱工度曲,每广坐命技,即老优名倡,俱皇遽失措,真不减江东公谨。"文人新撰传奇,如能借魏、梁新声登诸歌场,自然为风流雅事。

嘉靖后期最先引领传奇创作之风的为三种著名传奇,即《宝剑记》、《浣纱记》和《鸣凤记》。《宝剑记》作者李开先(1502—1568),山东章丘人。嘉靖八年(1529)进士,历官户部主事、吏部考功主事、太常寺少卿等职。嘉靖二十年(1541)得罪权臣夏言,被罢官。壮年归田后,只好以词曲自娱,消磨日月。《宝剑记》完成于嘉靖二十六年(1547),五十二出,主要写水浒英雄林冲逼上梁山的故事。其中《夜奔》一出至今仍流行舞台。

《浣纱记》作者梁辰鱼,字伯龙,江苏昆山人。出身世家,性豪放,好任侠,爱纵游,喜广结以邀名。不屑就诸生试,以捐资为太学生。因文坛领袖王世贞、李攀龙等赞誉,名声藉甚,而囊中时常羞涩。晚年更放浪形骸,沉湎声色。"艳歌清引,传播戚里间。白金文绮,异香名马,奇技淫巧之赠络绎于道。歌儿舞女,不见伯龙,自以为不祥也。"(徐又陵《蜗事杂订》)。《浣纱记》完成于嘉靖四十二年(1563),四十五出,原名《吴越春秋》,借范蠡、西施的离合故事演说吴越兴亡事。其中《寄子》一出至今犹传唱不绝。

《鸣凤记》旧传为王世贞作,或云其学生作,由王世贞补充而成。此剧可谓中国戏曲史中少有的时事剧,约写于隆庆年间（1567—1572），四十一出。不同于《琵琶记》以来多以婚姻爱情题材为主，此剧写夏言、杨继盛、董传策、邹庆龙等义臣前赴后继，与严嵩父子斗争事。因其直接取材现实，且政治倾向性非常明显，故作者有意隐姓埋名，假托文坛领袖王世贞之名以流传。

传奇写作出现"大江左右，骚雅沸腾；吴浙之间，风流掩映"（吕天成《曲品》）的局面，主要在明万历中期以后，文人士大夫无论知名、不知名，多以撰写传奇自命风流，至明末清初思想界、文学界一流人物，如傅山（1607—1684）、吴伟业（1609—1672）、王夫之（1619—1692）等也都有戏曲创作。明清文人所撰传奇，吕天成《曲品》、祁彪佳《远山堂曲品》、高奕《新传奇品》等皆有著录，但亡佚者很多。据郭英德先生估计，现存完整作品总数应在 2 700 种以上。明代传奇家中，最著名者自当推汤显祖、沈璟二人。

汤显祖（1550—1616），字义仍，号海若、若士，别署清远道人，晚年自号茧翁。书斋名玉茗堂。江西临川人。年少时即文名远扬，万历十一年（1583）进士。后任南京太常寺博士、南京礼部祠祭司主事。万历十九年（1591），因上书《论辅臣科臣疏》，批评时政，被贬为广东徐闻县典史。万历二十一年（1593）遇赦，内迁浙江遂昌知县。万历二十六年（1598），向吏部递交辞呈，不待批复即去职还乡。有《玉茗堂文集》，包括诗十八卷、赋六卷、尺牍六卷。传奇除《牡丹亭》（1598）外，尚有分别据唐传奇小说《霍小玉传》、《南柯太守传》、《枕中记》改编而成的《紫钗记》、《南柯记》、《邯郸记》，合称"临川四梦"或"玉茗堂四梦"。

《牡丹亭》可能完成于万历二十六年（1598）左右，五十五出，乃是据话本小说《杜丽娘慕色还魂》所述故事编成，讲的是南安太守杜宝之女杜丽娘，春日游园，触景生情，梦中与一书生柳梦梅幽会。醒后旧情难忘,感伤而亡。杜宝升官离任时,在其墓地造一梅花观。柳生进京赴试,借宿观中,拾得杜丽娘殉葬的自画像,心生爱慕。杜丽娘魂灵遂与其幽会。柳生依其指示,掘墓开棺,杜丽娘起死回生。柳生临安应试,试后去代丽娘向杜宝传报还魂事,反被杜宝误为盗墓贼。朝廷开榜,柳梦梅高中状元。误会消释后,合家团圆。

汤显祖曾自道:"一生'四梦',得意处唯在《牡丹》。"(王思任《牡丹亭叙》)"临川四梦",汤显祖为何偏爱《牡丹亭》?《牡丹亭》所述杜丽娘这位痴情女子因情而死,又因情而生的离奇故事,可能非常符合汤显祖理想中的"有情人"。汤显祖《牡丹亭题记》曰:"天下女子有情,宁有如杜丽娘者乎?梦其人即病,病即弥连,至手画形容传于世而后死。死三年矣,复能溟莫中求得其所梦者而生。如丽娘者,乃可谓之有情人耳。情不知所起,一往而深,生者可以死,死可以生。生而不可与死,死而不可复生者,皆非情之至也。"《牡丹亭》能塑造这样一位女子,汤显祖对此或颇为自得。

汤显祖得意《牡丹亭》处,也很有可能在其文字。早期戏文主要在民间庙台演出,其对象主要是市井小民,其作者多为底层文人,故其文字多本色通俗,在文人阶层看来自然是"鄙俚浅近"(王骥德《曲律》)。故自文人参与传奇写作之日起,就是提升其文学品位,但如果一味卖弄才学、追求典雅,不充分顾及戏剧人物身份、性情,就会流于案头化——这也是骈俪派传奇家最遭诟病处。故如何妙用浓淡、雅俗,实在是传奇家们不得不费心斟酌的。同时,明中叶后的文人传奇多兼用南、北曲,其北曲写作多以元人曲为师,而南曲则无所适从("荆、刘、拜、杀"等早期戏文多鄙俗),故其曲辞多工稳有余、灵动不足,缺乏机趣,连《琵琶记》这样被推为"南曲之祖"的作品也未能例外。汤显祖富才情,对元曲用功甚深,

"汤海若先生妙于音律，酷嗜元人院本……比问其各本佳处，一一能口诵之。"（姚士粦《见只编》），故其曲辞写作不但北曲深得元人神韵，其南曲亦活泼灵动，生趣盎然，窃以为明清传奇家中最杰出者。明清人对《牡丹亭》的推崇，也多在其文字。沈德符《万历野获编》说："汤义仍《牡丹亭梦》一出，家传户诵，几令《西厢》减价。"王骥德《曲律》说汤辞"婉丽妖冶，清劲刺骨，独字句平仄多逸三尺；然其妙处，往往非词人功力所及……其才情在浅深、浓淡、雅俗之间，为独得三昧"。

沈璟（1553—1610），字伯英，号宁庵，世称词隐先生，江苏吴江人。万历二年（1574）进士，万历七年（1579）任礼部主事、员外郎。后历任吏部各司员外郎，职位不高而有人事任用实权。万历十六年（1588）任顺天乡试同考官、光禄寺丞。因考官舞弊，受朝臣弹劾，在次年被迫告病回乡，后以词曲终老。他编有《南九宫十三调曲谱》。剧作《属玉堂十七种》，全本保存下来的有七种：《红蕖记》、《埋剑记》、《双鱼记》、《义侠记》、《桃符记》、《坠钗记》、《博笑记》。

如果说汤显祖是以"才"闻名，沈璟则主要以"法"著名。因为在汤、沈等无数文人竞相染指传奇写作的时代，尚无大家都可信奉、遵守的律法可依，如果继续像以前一样各自师心自用，随意填辞，不确立游戏规则，"曲"作为一种可表现文人文字才能且有别于"诗"、"词"的一种文字，其文坛地位堪忧。故沈璟斤斤于律法，当然很必要（至于其所倡导的曲律是否有问题另当别论），也得到当时传奇家们的一致认同。更兼沈璟多年在吏部任职，人称沈吏部，门生故旧自然很多，其所在的吴中地区乃文人荟萃之地，故沈吏部被推为曲坛盟主是很自然的事。

一般戏曲史著作乐于谈"吴江派"、"临川派"和"汤、沈之争"。实际情况是，沈璟周围确实有不少唱和者，如吕天成

（1580—1618）、王骥德（？ —1623）、徐复祚（1560—1630?）、冯梦龙（1574—1645?）、叶宪祖（1566—1641）、卜世臣（生卒年不详)等，如果将这些人归为"吴江派"也不是不可以的。但汤显祖始终僻处浙江遂昌、江西临川等偏远之地，与吴中文人往来不便，大多时候是孤家寡人，故事实上不存在一个汤氏一呼百应的"临川派"。汤、沈关于曲学问题确实有不同看法，但在当时资讯条件下，二人事实上没能直接展开论争，过于夸大"汤、沈之争"也是不合适的。

原典选读

汤显祖《牡丹亭》第十出《惊梦》①

【绕地游】 [旦上]梦回莺啭,乱煞年光遍②。人立小庭深院。[贴]炷尽沉烟③,抛残绣线,恁今春关情似去年④?

【乌夜啼】[旦]"晓来望断梅关⑤,宿妆⑥残。[贴]你侧著宜春髻子⑦恰凭栏。[旦]剪不断,理还乱⑧,闷无端。[贴]已分付催花莺燕,借春看。"[旦]春香,可曾叫人扫除花径?[贴]分付了。[旦]取镜台衣服来。[贴取镜台衣服上]"云髻罢梳还对镜,罗衣欲换更添香。"⑨镜台衣服在此。

【步步娇】 [旦]袅晴丝⑩吹来闲庭院,摇漾春如线。停半晌、整花钿⑪。没揣菱花偷人半面⑫,迤逗的彩云偏⑬。[行介]

---

① 《牡丹亭》第十出《惊梦》主要描述因春伤感,又因而生梦,与柳梦梅相会事。《惊梦》中有关杜丽娘触景生情的几支曲,婉丽动人,细腻传神地写出了杜丽娘思绪和情感,极富文采,在整个《牡丹亭》中也最为突出,数百年来传唱不绝,舞台演出多将《惊梦》前半(即【隔尾】曲前)称《游园》,后半称《惊梦》。

② 乱煞:缭乱貌。年光遍:意谓春光遍处皆是。

③ 沉烟:沉水香。炷尽沉烟:意谓沉香已燃尽。

④ 恁:如此,这样。春关:春末。"恁今春关"句意谓今年春末时节情思好似去年。

⑤ 梅关:即大庾岭,宋代设梅关。剧中柳梦梅过梅关北上应试。

⑥ 宿妆:隔夜残妆。

⑦ 宜春髻子:古代立春日,妇女剪彩绸作燕子状,戴在发髻上,上贴"宜春"二字。见《荆楚几时记》。

⑧ 剪不断,理还乱:此两句出自李煜词【相见欢】。

⑨ "云髻"两句:出自唐薛逢诗《宫词》。

⑩ 袅晴丝:虫类所吐的游丝摇曳、缭绕。

⑪ 花钿:用金翠珠宝制成的花形首饰。

⑫ 没揣:没想到。菱花:古时铜镜背面所铸花纹一般为菱花,称菱花镜。"没揣"句意谓从镜中看到自己的容貌,十分惊艳。

⑬ 迤逗:引惹,挑逗。彩云:发卷的美称。此句写自家发卷也很美,惹人怜爱。

步香闺怎便把全身现！[贴]今日穿插的好。

【醉扶归】 [旦]你道翠生生出落的裙衫儿茜①，艳晶晶花簪八宝填②，可知我一生儿爱好是天然。恰三春好处无人见③。不提防沉鱼落雁鸟惊喧，则怕的羞花闭月花愁颤④。

[贴]早茶时了，请行。[行介]你看："画廊金粉半零星，池馆苍苔一片青。踏草怕泥⑤新绣袜，惜花疼煞小金铃⑥。"[旦]不到园林，怎知春色如许！

【皂罗袍】 原来姹紫嫣红开遍⑦，似这般都付与断井颓垣。良辰美景奈何天，赏心乐事谁家院⑧！恁般景致，我老爷和奶奶再不提起。[合]朝飞暮卷，云霞翠轩⑨；雨丝风片，烟波画船。锦屏人忒看的这韶光贱⑩！[贴]是花都放了，那牡丹还早。

【好姐姐】 [旦]遍青山啼红了杜鹃⑪，荼蘼外烟丝醉软⑫。

---

① 出落的：显出，衬托出。茜（qiàn）：绛红色。"翠生生"句意谓裙衫有红有绿，相互映衬。

② 花簪八宝填：意谓簪子上镶嵌着多种宝石。

③ 恰三春好处无人见：意谓正如三春之易被人忽略一样，自家美貌也无人欣赏。

④ "沉鱼落雁"两句：古人常以沉鱼落雁、羞花闭月比拟女子貌美。飞鸟因人美而惊讶、喧哗（鸟惊喧）则是汤显祖的创造。

⑤ 泥：沾污，这里作动词用。

⑥ 惜花疼煞小金铃：《开元天宝遗事》载，唐玄宗之兄宁王爱花，为防鸟鹊伤花，故在园中结绳，绳上密缀金铃，鸟鹊翔集，则令园吏掣绳惊鸟。因惜花常常掣铃，连小金铃都被拉得疼煞了。这是拟人且夸大的描写。

⑦ 姹紫嫣红开遍：意谓各色鲜花都开了。

⑧ "良辰"两句：谢灵运《拟魏太子邺中集诗序》："天下良辰、美景、赏心、乐事，四者难并。"两句本此。

⑨ "朝飞"两句：为互文，意谓云霞清晨飞扬、夜晚收卷，映照着翠绿色的房檐。

⑩ 锦屏：华丽的屏风。锦屏人比喻杜丽娘自己。此句意谓自己把美丽的春光错过了，太可惜。

⑪ 啼红了杜鹃：传说古蜀国有望帝杜宇，国破家亡后精魂化作杜鹃鸟，夜夜啼血悲鸣，血滴在花上。此句意谓遍野青山都开满了杜鹃花。

⑫ 荼蘼（mí）：花名，晚春时开放。烟丝醉软：烟丝柔软如醉。

春香呵，牡丹虽好，他春归怎占的先①！〔贴〕成对儿莺燕呵。〔合〕闲凝眄②，生生燕语明如翦，呖呖莺歌溜的圆③。

〔旦〕去罢。〔贴〕这园子委是观之不足④也。〔旦〕提他怎的！〔行介〕

【隔尾】 观之不足由他缱⑤，便赏遍了十二亭台是枉然，到不如兴尽回家闲过遣。

〔作到介〕〔贴〕"开我西阁门，展我东阁床⑥。瓶插映山紫⑦，炉添沉水香。"小姐，你歇息片时，俺瞧老夫人去也。〔下〕〔旦叹介〕"默地游春转，小试宜春面⑧。"春呵，得和你两留连，春去如何遣？咳，恁般天气，好困人也。春香那里？〔作左右瞧介〕〔又低首沉吟介〕天呵，春色恼人，信有之乎！常观诗词乐府，古之女子，因春感情，遇秋成恨，诚不谬误矣。吾今年已二八，未逢折桂之夫；忽慕春情，怎得蟾宫⑨之客？昔日韩夫人得遇于郎⑩，张生偶逢崔氏⑪，曾有《题红记》、《崔徽传》二书。此佳人才子，前以密约偷期⑫，后皆得成秦晋⑬。〔长叹介〕吾生于宦族，长在名门。年已及笄⑭，不得早成佳配，诚为虚度青春，光阴如过隙耳。〔泪介〕可惜妾身颜色如花，

---

① "他春归"句：意谓牡丹花最早兆示春日的终结。

② 凝眄(miǎn)：凝视。

③ "生生"两句：意谓燕子的叫声清脆明快，黄莺的叫声悠长婉转。

④ 观之不足：看不厌。

⑤ 由他缱：任凭思绪纠缠、萦绕。

⑥ "开我"两句：本自《木兰诗》："开我东阁门，坐我西阁床。"

⑦ 映山紫：映山红(杜鹃花)的一种。

⑧ "默地"两句：意谓自家背了父母暗地里出去游春，稍加装饰打扮。

⑨ 蟾宫：月宫。蟾宫折桂，指科举时代的应考得中。

⑩ 韩夫人得遇于郎：唐传奇《流红记》说唐僖宗时，宫女韩氏以红叶题诗，从御沟中流出，被于祐拾到。于祐也以红叶题诗，投入上流，寄给韩氏。后来两人结为夫妇。

⑪ 张生偶逢崔氏：即张生和崔莺莺的爱情故事，见唐元稹《会真记》，或名《莺莺传》。下文说的《崔徽传》是另外一个故事，说妓女崔徽和裴敬中相爱，分别之后不再相见。崔徽请画工画了一幅像，托人带给裴敬中说："崔徽一旦不及卷中人，徽且为郎死矣！"故《崔徽传》疑是《莺莺传》之误。

⑫ 偷期：幽会。

⑬ 得成秦晋：成为夫妇。春秋时代，秦、晋两国世代联姻，后世称联姻为秦晋。

⑭ 及笄(jī)：古代女子十五岁开始以笄(簪)束发，叫及笄。见《礼记·内训》。及笄，意指女子已成年，到了婚配的年龄。

岂料命如一叶①乎!

【山坡羊】 没乱里②春情难遣,蓦地里怀人幽怨。则为俺生小婵娟③,拣名门一例一例里神仙眷④。甚良缘,把青春抛的远!俺的睡情谁见?则索因循腼腆⑤。想幽梦谁边,和春光暗流转?迁延⑥,这衷怀那处言!淹煎⑦,泼残生⑧,除问天!

身子困乏了,且自隐儿⑨而眠。[睡介][梦生介][生持柳枝上]"莺逢日暖歌声滑,人遇风情笑口开。一径落花随水入,今朝阮肇到天台⑩。"小生顺路儿跟著杜小姐回来,怎生不见?[回看介]呀,小姐,小姐![旦作惊起介][相见介][生]小生那一处不寻访小姐来,却在这里![旦作斜视不语介][生]恰好花园内,折取垂柳半枝。姐姐,你既淹通书史,可作诗以赏此柳枝乎?[旦作惊喜,欲言又止介][背想]这生素昧平生,何因到此?[生笑介]小姐,咱爱杀你哩!

【山桃红】 则为你如花美眷⑪,似水流年,是答儿⑫闲寻遍。在幽闺自怜。小姐,和你那答儿讲话去。[旦作含笑不行介][生作牵衣介][旦低问]那边去?[生]转过这芍药栏前,紧靠着湖山石边。[旦低问]秀才,去怎的?[生低答]和你把领扣松,衣带宽,袖梢儿搵著牙

---

① 命如一叶:比喻薄命。
② 没(mò)乱里:形容心绪很乱。
③ 婵娟:姿态美好貌。
④ 拣名门句:意谓其父母先后挑选了很多名门,但一直未能遇到佳配(神仙眷)。
⑤ 则索:则要,须是。因循腼腆:意谓按老规矩做出害羞的样子(不敢直言自家对婚事的看法)。
⑥ 迁延:耽搁时间。
⑦ 淹煎:受熬煎。
⑧ 泼残生:喻苦命。泼,表示厌恶,原来是骂人的话。
⑨ 隐儿:靠着几案。
⑩ 阮肇到天台:刘义庆《幽明录》载刘晨和阮肇入天台山采药,遇两仙女,被招为婿。
⑪ 美眷:娇美的妻子。
⑫ 是答儿:到处。是,凡是。

儿苦也①，则待你忍耐温存一晌②眠。[旦作羞][生前抱][旦推介][合]是那处曾相见，相看俨然③，早难道④这好处相逢无一言？[生强抱旦下]

[末扮花神束发冠，红衣插花上]"催花御史⑤惜花天，检点春工又一年。蘸客⑥伤心红雨下，勾人悬梦彩云边。"吾乃掌管南安府后花园花神是也。因杜知府小姐丽娘，与柳梦梅秀才，后日有姻缘之分。杜小姐游春感伤，致使柳秀才入梦。咱花神专掌惜玉怜香，竟来保护他，要他云雨十分欢幸也。

【鲍老催】 [末]单则是混阳蒸变⑦，看他似虫儿般蠢动把风情煽。一般儿娇凝翠绽魂儿颤。这是景上缘⑧，想内成，因中见。呀，淫邪展污⑨了花台殿。咱待拈片落花儿惊醒他。[向鬼门⑩丢花介]他梦酣春透了怎留连？拈花闪碎的红如片。

秀才才到的半梦儿，梦毕之时，好送杜小姐仍归香阁。吾神去也。
[下]

【山桃红】 [生、旦携手上][生]这一霎天留人便，草藉花眠。小姐可好？[旦低头介][生]则把云鬟点，红松翠偏。小姐休忘了呵，见了你紧相偎，慢厮连，恨不得肉儿般团成了片也，逗的个日下胭脂雨上鲜。[旦]秀才，你可去呵？[合]是那处曾相见，相看俨然，早难道这好处相逢无一言？

---

① 揾（wèn）著：贴著。苫（shān）：草织物，这里指如苫的草地。

② 一晌：一会儿。

③ 俨然：宛然，仿佛。

④ 早难道：意谓这难道就是，表疑问。

⑤ 催花御史：《说郛》卷二十七《云仙散录》引《玉尘集》：唐穆宗惜花，"每宫中花开，则以重顶帐蒙蔽栏槛，置惜花御史掌之"。

⑥ 蘸（zhàn）客：文人墨客。

⑦ 单则是：只是。"混阳蒸变"及下两句"风情煽"、"魂儿颤"均暗喻男女交合。

⑧ 景上缘：如影的缘分，按佛家观念是不真实的。下文"因中见（现）"，佛家认为一切事物都由因缘造合而成，皆为虚幻。

⑨ 展污：沾污、弄脏。

⑩ 鬼门：一作古门，戏台上演员的上、下场门。

[生]姐姐，你身子乏了，将息①，将息。[送旦依前作睡介][轻拍旦介]姐姐，俺去了。[作回顾介]姐姐，你十分将息，我再来瞧你那。"行来春色三分雨，睡去巫山一片云。"[下][旦作惊醒，低叫介]秀才，秀才，你去了也？[又作痴睡介]。

[老旦上]"夫婿坐黄堂，娇娃立绣窗。怪他裙衩上，花鸟绣双双。"孩儿，孩儿，你为甚瞌睡在此？[旦作醒，叫秀才介]咳也。[老旦]孩儿怎的来？[旦作惊起介]奶奶到此！[老旦]我儿，何不做些针指，或观玩书史，舒展情怀？因何昼寝于此？[旦]孩儿适花园中闲玩，忽值春暄恼人，故此回房。无可消遣，不觉困倦少息。有失迎接，望母亲恕儿之罪。[老旦]孩儿，这后花园中冷静，少去闲行。[旦]领母亲严命。[老旦]孩儿，学堂看书去。[旦]先生不在，且自消停②。[老旦叹介]女孩儿长成，自有许多情态，且自由他。正是："宛转随儿女，辛勤做老娘。"[下]

[旦长叹介][看老旦下介]哎也，天那，今日杜丽娘有些侥幸也。偶到后花园中，百花开遍，睹景伤情。没兴而回，昼眠香阁。忽见一生，年可弱冠③，丰姿俊妍。于园中折得柳丝一枝，笑对奴家说："姐姐既淹通书史，何不将柳枝题赏一篇？"那时待要应他一声，心中自忖，素昧平生，不知名姓，何得轻与交言。正如此想间，只见那生向前说了几名伤心话儿，将奴搂抱去牡丹亭畔，芍药阑边，共成云雨之欢。两情和合，真个是千般爱惜，万种温存。欢毕之时，又送我睡眠，几声"将息"。正待自送那生出门，忽值母亲来到，唤醒将来。我一身冷汗，乃是南柯一梦④。忙身参礼母亲，又被母亲絮了许多闲话。奴家口虽无言答应，心内思想梦中之事，何曾放怀。行坐不宁，自觉如有所失。娘呵，你教我堂看书去，知他看那一种书消闷也！[作掩泪介]

【绵搭絮】 雨香云片⑤，才到梦儿边。无奈高堂，唤醒纱

---

① 将息：养息，休息。
② 消停：休息。
③ 弱冠：男子二十岁。《礼·曲礼》上："人生十年曰幼，学；二十曰弱，冠；三十曰壮，有室。"冠，男子到二十岁行冠礼表示已经成人。
④ 南柯一梦：唐人李公佐传奇《淳于棼》故事云，淳于棼梦见自己被大槐安国国王招为驸马，做南柯太守。历尽了富贵荣华，人世浮沉。醒来才发现槐安国不过是大槐树下的一个蚁穴，南柯郡则是南面树枝下的另一个蚁穴。
⑤ 雨香云片：云雨，指梦中的幽会。

窗睡不便。泼新鲜冷汗粘煎，闪的俺心悠步嚲①，意软鬟偏。不争多②费尽神情，坐起谁忺③？则待去眠。[贴上]"晚妆销粉印，春润费香篝④。"小姐，薰了被窝睡罢。

【尾声】 [旦]困春心游赏倦，也不索香薰绣被眠。天呵，有心情那梦儿还去不远。

　　春望逍遥出画堂（张说），间梅遮柳不胜芳（罗隐）。

　　可知刘阮逢人处（许浑）？回首东风一断肠（韦庄）。

　　　　　　　　　　　　——明朱墨刊本《牡丹亭》

---

①　闪的俺：弄得我，害得我。步嚲（duǒ）：意谓脚步不稳。

②　不争多：差不多，几乎。

③　忺（xiān）：愉悦。

④　香篝（gōu）：即薰笼，薰香用。

传奇入清后的新变和"南洪北孔"

传奇入清以后,有些传奇写作仍然延续晚明的流风余韵,李渔(1611—1680)、尤侗(1618—1704)、万树(1630—1688)、徐沁(1626—1683)等传奇家皆如是。但由明入清,江山易主的沧桑巨变,迫使文人阶层不得不对晚明的名士风流、风花雪月有所反省。这一点在一些身处易代之际的文人那里,往往最为明显,如丁耀亢(1599—1699)、李玉(生卒年不详)、吴伟业(1609—1672)、嵇永仁(1637—1676)等。吴伟业为李玉所编的《北词广正谱》作序说:"盖士之不遇者,郁积其无聊不平之慨于胸中,无所发抒,因借古人之歌呼笑骂,以陶写我之抑郁牢骚,而我之性情,爱借古人之性情,而盘旋于纸上,宛转于当场。"吴伟业所言实非其一人之心声,而是有很大的普遍性。

从另一方面来看,戏曲(包括长篇的传奇、短篇的杂剧)其时已被视为一种有别于诗、词、赋的文体,戏曲可以像诗、文一样表达文人志趣。梁辰渔、汤显祖时代,"传奇"创作主要是一种文人风流,是一种游戏风尘、风花雪月,故其题材也多是儿女情长,所谓"十部传奇九相思"。而后来的传奇家们写作传奇不纯是一种游戏文字,尊体意识渐重,也常常有所寄托。这种变化自然是渐进的,但到康熙中期《长生殿》、《桃花扇》的出现,则标志着传奇写作已发生转折性变化。杨恩寿(1835—1891)《词余丛话》说:

> 康熙时,《桃花扇》、《长生殿》先后脱稿,时有"南洪

北孔"之称。其词气味深厚，浑然包孕处蕴藉风流，绝无纤裹轻佻之病。

吴梅先生在所著《中国戏曲概论》中是这样描述这种变化的：

> 二家（指洪昇、孔尚任）既出，于是词人各以征实为尚，不复为凿空之谈，所谓陋巷言怀，人人青紫，闲闺寄怨，字字桑濮者，此风几乎革尽。曲家中兴，断推洪、孔焉。

洪昇（1645—1704），字昉思，号稗畦、稗村，别号南屏樵者，浙江钱塘人，其外祖父黄机康熙朝官至刑部尚书、文华殿大学士兼吏部尚书。康熙七年（1668），洪昇赴北京国子监肄业，生活困顿，在京一年未得官职，失望而归。康熙十一年（1672）27岁后，遭"天伦之变"，被迫离家别居，再度前往北京谋生。康熙十四年（1675），诗集《啸月楼集》编成，受李天馥和王士禛诸名流赏识，诗名大起。"交游宴集，每白眼踞坐，指古摘今。"（徐麟《长生殿序》）康熙二十七年（1688）《长生殿》完稿，遂盛行于世。次年，召戏班家中演出《长生殿》，因值孝懿皇后丧期，被劾入狱，国学生籍被革。时人感叹说"可怜一曲长生殿，断送功名到白头"。康熙三十年（1691），返回故乡杭州。康熙四十三年（1704），江宁织造曹寅在南京集南北名流为盛会，请洪昇居上座，演出《长生殿》，历三昼夜始毕。归途经乌镇，酒后登舟，坠水而亡。

《长生殿》所述唐玄宗、杨贵妃爱情故事，自中唐以来即见诸诗文、小说、戏剧等各体文字。洪昇《长生殿·例言》自陈说："史载杨妃多污乱事。予撰此剧，止按白居易《长恨歌》、陈鸿《长恨歌传》为之。而中间点染处，多采《天宝遗事》、《杨妃全传》。若一涉秽迹，恐妨风教，绝不阑入，览者有以知予之志也。"由此可见，《长生殿》删削杨妃秽迹，乃是有意为之，目的是存"诗人忠厚之旨"，《长生殿》后半卷多虚构（写玄宗、贵妃同登仙箓，升入忉利天宫，永久团圆），但其前半卷所涉及重要人物史实皆有依据，绝非晚明传奇常见的"凿空之谈"。《长生殿》"盖经十余年，三易稿而成"，其执着认真，可谓前无来者。

　　自其立意来看，《长生殿》也绝非轻率之作。《长生殿》主旨在写李、杨之情，但也客观地反映了李、杨之情带来的可怕的社会灾难，所谓"乐极哀来，垂戒来世，意即寓焉"（《长生殿·例言》）。洪昇之所以立意写李、杨之情，则"念情之所钟，在帝王家罕有"。古今帝王、后妃情事甚多，如商纣与妲己、项羽与虞姬、汉武帝与李夫人、汉元帝与王昭君、宋徽宗与李师师等，但一般帝妃之情都是帝王宠幸后妃、后妃承恩甘受，按"礼"（理）帝王不必专爱一人、后妃也无权专擅，非是则有失"后妃之德"。《长生殿》中的杨贵妃则"娇纵"、"妒悍"，不容许唐玄宗分爱虢国夫人、梅妃，乃至动则兴师问罪——杨贵妃竟然忘记了本分，非分地要求夫妻之情！而洪昇对杨贵妃显然是欣赏的，而且也更欣赏唐玄宗在贵妃前的软弱，乃至谢罪："情双好、情双好，纵百岁犹嫌少。怎说到、怎说到，平白地分开了！总朕错，总朕错，请莫恼、请莫恼！"（《长生殿·絮阁》）也正是因为洪昇在《惊变》一出前已完全写出了李、杨之情是夫妻间才能有的爱情，故其后写唐玄宗失去杨妃后的深切思念、悔恨自责、痛不欲生，就尤其令人感动、同情！

　　从排场结构、曲辞填写而言，《长生殿》在明清传奇中也非常突出。近人王季烈(1873—1925)《螾庐曲谈》有赞语云：

"其选择宫调,分配角色,布置剧情,务令离合悲欢,错综参伍,搬演者无劳逸不均之虑,观听者觉层出不穷之妙,自来传奇排场之胜,无过于此。"故《长生殿》甫一问世,即引起轰动:"一时朱门绮席,酒社歌楼,非此曲不奏,缠头为之增价。"(徐麟《长生殿序》)"爱文者喜其词,知音者赏其律,以是传闻益远。蓄家乐者攒笔竞写,转相教习,优伶能是,升价什佰。"(吴舒凫《长生殿序》)至近现代,其《定情》(今名《赐盒》)、《惊变》、《疑谶》(今名《酒楼》)、《偷曲》、《絮阁》、《骂贼》、《闻铃》、《哭像》、《弹词》等出仍常见上演。

孔尚任(1648—1718),字聘之,又字季重,号东塘,别号岸堂,自称云亭山人,山东曲阜人,孔子六十四代孙。康熙二十三年(1684),康熙皇帝南巡,北返过曲阜祭祀孔子,孔尚任被推举御前讲经,受康熙称许,破格用为国子监博士。次年夏,随同工部侍郎孙在丰去淮扬,疏浚黄河海口。在淮扬三年,孔尚任广泛结交冒襄、黄云、龚贤等前朝文人,听闻一些前朝旧事。康熙二十九年(1690),奉调回京,仍任国子监博士。三年后转任户部主事。康熙三十八年(1699),《桃花扇》完稿。"王公荐绅,莫不借钞,时有纸贵之誉。北京演出者,岁无虚夕。"(《桃花扇本末》)以至康熙皇帝命内侍向孔尚任索阅文稿。时人歌咏说:"两家乐府盛康熙,进御均叨天子知。纵使元人多院本,勾栏多唱孔洪词。"(金埴《题阙里孔稼部尚任东塘桃花扇传奇卷后》)康熙三十九年(1700),升任户部广东清吏司员外郎,不料十余日后以"疑案"被罢官。两年后,孔尚任离京回到曲阜。康熙五十七年(1718),病卒于家。孔尚任诗文集有《石门山集》、《湖海集》、《岸堂稿》、《长留集》、《出山异数记》等。

《桃花扇》主要借明末复社文人侯方域与秦淮名妓李香君的离合故事,反映南明王朝的兴亡。所谓"借离合之情,写兴亡之感"(《桃花扇·开场》)。剧中侯方域与李香君以诗扇定情,后马士英、阮大铖等强迫李香君改嫁党羽田仰,李香君誓死不从,血溅诗扇,友人杨龙友将扇上血迹点染成数枝桃花,故名桃花扇。

从"征实"尚史的倾向看,《桃花扇》比《长生殿》显然有过之而无不及。孔尚任《桃花扇·凡例》说自家撰写原则云:"朝政得失,文人聚散,皆确考时地,全无假借。至于儿女钟情,宾客解嘲,虽稍有点染,亦非乌有子虚之比。"这当然与孔尚任对传奇一体的看重密切相关。孔尚任《桃花扇·小引》有云:"传奇虽小道,凡诗赋、词曲、四六、小说家,无体不备。至于摹写须眉,点染景物,乃兼画苑矣。其旨趣实本于三百篇,而义则春秋,用笔行文,又《左》、《国》、太史公也……场上歌舞,局外指点,知三百年之基业,隳于何人?败于何事? 消于何年? 歇于何地? 不独令观者感慨零涕,亦可惩创人心,为末世之一救。"由此我们也可窥见,清康熙时传奇观念的转折性变化。"实自东塘为始,传奇之尊,遂得与诗文同其声价矣。"(吴梅《中国戏曲概论》)

孔尚任的被罢官,显然因其《桃花扇》。这在孔尚任也许百思不得其解:他对康熙皇帝破格提拔感激涕零,对清王朝忠心耿耿……孔尚任作为文人可能太天真了! 他或许认为他的"兴亡之感"可以超越历史时空,但单从《桃花扇》在京城上演时引得前朝遗老"啼嘘而散"来看,显然是不合时宜的。《桃花扇》完稿的康熙三十八年(1699),距离康熙平定三藩之乱还不到二十年。《桃花扇》对前朝史可法等忠义之士的赞颂,无疑也是对前朝的一种肯定,而忠义之士的对立面既包括马士英、阮大铖等奸臣,也包括侵犯中原的满清。所以他孔尚任实在有负康熙皇帝的恩宠!

如从文字才能而言,《桃花扇》自可与《长生殿》媲美。

如从立意品格而言，《桃花扇》显然胜过《长生殿》。《琵琶记》以来的文人传奇（包括《牡丹亭》、《长生殿》）多以生、旦为主骨，场上留存的折子戏也主要是生脚或旦脚的戏。《桃花扇》从戏剧结构看则与此前很不同：生、旦爱情戏的分量远比不上其对历史大事件的反映，头绪过于纷繁，《桃花扇》中侯、李的离合线被各种历史人物冲淡得几不成线。孔尚任更感兴趣的显然是"兴亡之感"，而非"离合之情"。孔尚任对生、旦之曲的用心似与其他各脚同等看待，这显然未充分顾及场上。故《桃花扇》如作为案头文字，或为中国戏曲史中最杰作的作品；如作为场上之曲，终逊于《长生殿》。三百年来，《桃花扇》仅《访翠》、《寄扇》、《沉江》几折常演，绝非偶然。

至乾隆年间，家班豢养之风消歇，职业戏班成为中国戏曲演剧的主体，而职业戏班此时已积累了很多可以保证其营业的老戏及来自老戏的折子戏，新剧搬演的机会大大减少了，这样传奇的案头化倾向更加明显。在这种背景下，文人传奇征实尚史、劝惩教化的色彩也更加明显了。

如夏纶（1680—1752）乾隆初年先后作有《无瑕碧》等六种传奇，均寄寓劝惩用心，有意斥责"男女风流"。《广寒梯》第三十二出《乭圆》有："填词细数谁佳构？恨涉笔便伤忠厚，单只把男女风流话不休。"后来人梁廷枏颇有会心："惺斋作曲，皆意主惩劝，常举忠、孝、节、义，各撰一种。"（梁廷枏《曲话》）。董榕（1711—1760）为乾隆时著名的孝子，作《芝龛记》传奇，《芝龛记·凡例》云："所有事迹，皆本《明史》及诸名家文集、志传，旁采说部，一一根据，并无杜撰。"如此表白，俨然一位史家，绝非汤显祖、李渔辈可以引为同道。

蒋士铨（1725—1785）为乾隆年间最著名的诗人之一，有《藏园九种曲》。其传奇观念对后来影响很大。蒋士铨《中州愍烈记题词》言道:"安肯轻提南董笔,替人儿女写相思。"《藏园九种曲》均以褒扬忠烈节义为主旨,无意才子佳人风流韵事。故吴梅先生说:"盖自藏园标'下笔关风化'之帜,而作者皆慎重下笔,无青衿佻达事。此亦清代曲家之胜处也。"

原典选读

《长生殿》第二十四出《惊变》①

[丑上]"玉楼天半②起笙歌，风送宫嫔③笑语和。月殿影开闻夜漏④，水晶帘卷近秋河⑤。"咱家高力士，奉万岁爷之命，着咱在御花园中安排小宴，要与贵妃娘娘同来游赏，只得在此伺候！[生、旦乘辇⑥，老旦、贴随后，二内侍引，行上]

【北中吕·粉蝶儿】 天淡云闲，列长空数行新雁。御园中秋色斓斑⑦，柳添黄，萍减绿，红莲脱瓣。一抹⑧雕栏，喷清香桂花初绽。[到介][丑]请万岁爷、娘娘下辇。[生、旦下辇介][丑同内侍暗下][生]妃子，朕与你散步一回者。[旦]陛下请。[生携旦手介][旦]

【南泣颜回】 携手向花间，暂把幽怀同散。凉生亭下，风荷映水翩翻⑨。爱桐阴静悄，碧沉沉并绕回廊看。恋香巢秋

---

① 《长生殿》第二十四出《惊变》写唐玄宗与杨贵妃秋日在御花园宴饮，玄宗极有雅兴，贵妃酒醉后被扶入后宫。杨国忠来报，说安禄山反叛，已破潼关。唐玄宗只好听从杨国忠建议，暂往西蜀避难。本出用曲为一完整的南北合套，一北一南相间，北曲曲辞跌宕多姿，南曲则流丽婉转，极富文采。其配乐之妥帖、雅致，在目前传唱的南北曲中也不多见，故至今仍传唱于歌台。《惊变》的前半（即【南扑灯蛾】曲之前）常单独演出，俗称《小宴》。

② 天半：犹言半空中，形容极高。

③ 宫嫔：宫女。嫔是宫廷中的女官。

④ 夜漏：古代计时的工具。在器中贮水下滴，有声。

⑤ 水晶帘：珠帘。秋河：银河。以上四句引用唐马逢《宫词》。

⑥ 辇(niǎn)：帝王后妃所乘的车。

⑦ 斓(lán)斑：亦作斑斓，颜色错杂灿烂。

⑧ 一抹：一带。

⑨ 风荷：风中的荷花。翩翻：摇曳翻转貌。

燕依人^①,睡银塘鸳鸯蘸眼^②。[生]高力士,将^③酒过来,朕与娘娘小饮数杯。[丑]宴已排在亭上,请万岁爷、娘娘上宴。[旦作把盏,生止住介]妃子坐了。

【北石榴花】 不劳你玉纤纤^④高捧礼仪烦,子待借小饮对眉山^⑤。俺与你浅斟低唱互更番,三杯两盏,遣兴消闲。妃子,今日虽是小宴,倒也清雅。 回避了御厨中、回避了御厨中,烹龙炰凤^⑥堆盘案,咿咿哑哑乐声催趱^⑦;只几味脆生生,只几味脆生生蔬和果清肴馔^⑧,雅称你仙肌玉骨美人餐^⑨。

妃子,朕与你清游小饮,那些梨园^⑩旧曲,都不耐烦听他。记得那年在沉香亭上赏牡丹,召翰林李白草《清平调》三章^⑪,令李龟年^⑫度成新谱,其词甚佳。不知妃子还记得么?[旦]妾还记得。[生]妃子可为朕歌之,朕当亲倚玉笛以和^⑬。[旦]领旨。[老旦进玉笛,生吹介][旦按板介]

【南泣颜回】 [换头]花繁,秾艳想容颜。云想衣裳光

---

① 依人:谓与人亲近不离。秋燕依人暗喻杨贵妃对唐玄宗的依从。

② 蘸(zhàn)眼:招眼,引人注目。

③ 将:拿。

④ 玉纤纤:喻洁白纤细的手。

⑤ 子待:只待。眉山:《西京杂记》卷二:"文君(卓文君)姣好,眉色如望远山。"后因以"眉山"形容女子秀丽的双眉。

⑥ 烹龙炰(páo)凤:龙、凤,指飞禽走兽类食物。炰,把带毛的肉用泥裹住在火上烧烤。

⑦ 催趱(zǎn):催赶,督促。此句意谓各种乐声竞奏呼应。

⑧ 馔(zhuàn):食物,菜肴。

⑨ 雅称:美称。美人餐:出自晋陆机《日出东南隅行》:"鲜肤一何润,秀色若可餐。"后世一般用秀色可餐比拟女子姿色美丽诱人。

⑩ 梨园:唐玄宗设置的教练伶人的机构。《新唐书·礼乐志》:"明皇既知音律,又酷爱法曲,选坐部伎子弟三百,教于梨园。"

⑪ "召翰林"句:《松窗杂录》载,天宝初,李白在长安供奉翰林。玄宗与杨妃在兴庆宫沉香亭前赏牡丹,命李白进新词,李白宿醉未醒,援笔写成《清平调词》三章。

⑫ 李龟年:唐玄宗时著名乐人,精音律。

⑬ 倚玉笛以和:用玉笛来伴奏。

璨①，新妆谁似，可怜飞燕娇懒②。名花国色，笑微微常得君王看。向春风解释春愁，沉香亭同倚阑干③。

［生］妙哉！李白锦心，妃子绣口④，真双绝矣！宫娥，取巨觞⑤来，朕与妃子对饮。［老旦、贴送酒介］［生］

【北斗鹌鹑】 畅好是喜孜孜驻拍停歌⑥，喜孜孜驻拍停歌，笑吟吟传杯送盏。妃子干一杯！［作照干介］不须他絮烦烦射覆藏钩⑦，闹纷纷弹丝弄板⑧。［又作照杯介］妃子，再干一杯！［旦］妾不能饮了。［生］宫娥每，跪劝。［老旦、贴］领旨。［跪旦介］娘娘，请上这一杯。［旦勉饮介］［老旦、贴作连劝介］［生］我这里无语持觞仔细看，早子见⑨花一朵上腮间。［旦作醉介］妾真醉矣。［生］一会价软哈哈柳軃花欹⑩，软哈哈柳軃花欹，困腾腾莺娇燕懒。

妃子醉了，宫娥每，扶娘娘上辇进宫去者。［老旦、贴］领旨。［作扶旦起介］［旦作醉态呼介］万岁！［老旦、贴扶旦行］［旦作醉态介］

---

① "花繁"三句：化用李白《清平调词》其一"云想衣裳花想容，春风拂槛露华浓"两句。

② "新妆"二句：化用《清平调词》其二"借问汉宫谁得似？可怜飞燕倚新装"两句。可怜：可爱。飞燕：赵飞燕，西汉成帝的皇后，美貌善舞，身轻如燕。

③ "名花"四句：化用《清平调词》其三："名花倾国两相欢，长得君王带笑看。解释春风无限恨，沉香亭畔倚阑干。"名花：指牡丹花。国色：国中最美的女子。解释：消除，消解。

④ "李白"二句：谓李白文思美妙，杨妃歌喉优雅。锦心：形容写文章的人的文心。绣口：原指文章词藻富丽，这里指声音优美。

⑤ 觞（shāng）：古代酒器。

⑥ 畅好是：正好是。驻：同住。

⑦ 射覆藏钩：古代两种游戏。射覆，《汉书·东方朔传》："上尝使诸数家射覆。"颜师古注："数家，术数之家也。于覆器之下而置诸物，令暗射之，故云射覆。"即让人猜出器物覆盖的东西。后世称猜迷语为射覆。藏钩，《艺经》："腊日饮祭之后，叟妪儿童为藏钩之戏，分为二曹（两队），以较胜负。"即寻找物件藏匿之处。

⑧ 弹丝弄板：弹奏乐器。

⑨ 早子见：早见。子为语助词，无义。

⑩ 软哈（hāi）哈：软绵绵。柳軃（duǒ）花欹（qī）：形容杨贵妃醉后不能支持，身体软得如柳条低重，花枝倾斜。軃，下垂。欹，倾斜。

【南扑灯蛾】　态恹恹①轻云软四肢，影蒙蒙空花乱双眼②；娇怯怯柳腰扶难起，困沉沉强抬娇腕，软设设金莲倒褪③，乱松松香肩軃云鬟④，美甘甘思寻凤枕，步迟迟，倩⑤宫蛾搀入绣帏间。[老旦、贴扶旦下]

[丑同内侍暗上][内击鼓介][生惊介]何处鼓声骤发？[副净⑥急上]"渔阳鼙鼓动地来，惊破霓裳羽衣曲⑦。"[问丑介]万岁爷在那里？[丑]在御花园内。[副净]军情紧急，不免径入。[进见介]陛下，不好了。安禄山起兵造反，杀过潼关，不日就到长安了。[生大惊介]守关将士何在？[副净]哥舒翰⑧兵败，已降贼了。[生]

【北上小楼】　呀！你道失机的哥舒翰，称兵的安禄山，赤紧的⑨离了渔阳，陷了东京⑩，破了潼关。唬得人胆战心摇，唬得人胆战心摇，肠慌腹热，魂飞魄散，早惊破月明花粲⑪。

卿有何策，可退贼兵？[副净]当日臣曾再三启奏，禄山必反，陛下不听，今日果应臣言。事起仓卒，怎生抵敌？不若权时幸蜀，以待天下勤王⑫。[生]依卿所奏。快传旨：诸王百官，即时随驾幸蜀便了。[副净]领旨。[急下][生]高力士，快些整备军马。传旨令右龙武将军陈元礼，统领

---

　① 恹恹：软弱无力的样子。

　② "影蒙蒙"句：形容杨贵妃醉眼朦胧。空花：佛教语，本指隐现于病眼者视觉中繁花状的虚影，常以喻纷繁的妄想和假相。

　③ 软设设：软绵绵。金莲：指女子的脚。倒褪：即倒退。

　④ 云鬟：形容妇女发鬟如云。

　⑤ 倩：使，请。

　⑥ 副净：扮杨国忠。

　⑦ "渔阳"二句：借用白居易《长恨歌》原句。渔阳：郡名，今河北冀县、平谷一带，安禄山盘踞之地。鼙(pí)鼓：古代军中小鼓。霓裳羽衣曲：唐乐曲名，据说是唐玄宗所制。

　⑧ 哥舒翰：唐天宝年间，任河西节度使。安史之乱，李隆基委命驻守潼关，失败被俘。新旧《唐书》有传。

　⑨ 赤紧的：曲中习用语，形容时间短促，犹转眼间。

　⑩ 东京：唐代以洛阳为东都。

　⑪ 粲：鲜明貌，美好貌。

　⑫ 勤王：指封建时代由地方出兵援救中央王朝。

御林军士三千①，扈驾②前行。[丑]领旨。[下][内侍]请万岁爷回宫。[生转行叹介]唉！正尔欢娱，不想忽有此变，怎生是了也！

【南扑灯蛾】 稳稳的宫廷宴安，扰扰的边廷造反。咚咚的鼙鼓喧，腾腾的烽火黰③。的溜扑碌④臣民儿逃散，黑漫漫乾坤覆翻，碜磕磕⑤社稷摧残，碜磕磕社稷摧残。当不得萧萧飒飒西风送晚，黯黯的一轮落日冷长安。

[向内问介]宫娥每，杨娘娘可曾安寝？[老旦、贴内应介]已睡熟了。[生]不要惊他，且待明早五鼓同行。[泣介]天那！寡人不幸，遭此播迁⑥；累他玉貌花容，驱驰道路，好不痛心也！

【南尾声】 在深宫兀自娇慵惯，怎样支吾⑦蜀道难。[哭介]我那妃子呵，愁杀你玉软花柔要将途路趱⑧。

宫殿参差落照间（卢纶）⑨，渔阳烽火照函关（吴融）。

遏云声绝悲风起（胡曾），何处黄云是陇山（武元衡）。

——稗畦草堂本《长生殿》

---

① 陈元礼：即陈玄礼，为避清圣祖玄烨讳而改为"元"。御林军：泛指皇帝卫军。

② 扈（hù）驾：即护驾。

③ 黰（yān）：黑色，指烽烟的颜色。

④ 的溜扑碌：形容慌乱。

⑤ 碜（chěn）磕磕：也作碜可可，曲中常用语，凄惨貌。

⑥ 播迁：迁徙，流离。

⑦ 支吾：应付。

⑧ 趱（zǎn）：赶，快走。

⑨ "宫殿"以下四句：称"集唐"，即分别截取唐诗中的四句作为传奇的下场诗。此四句分别出自卢纶《长安春望》、吴融《华清宫四首》、胡曾《咏史诗·铜雀台》、武元衡《摩诃池送李侍御之凤翔》诗。

孔尚任《桃花扇》续四十出《余韵》①

[净]②不瞒二位说，我三年没到南京，忽然高兴，进城卖柴。路过孝陵③，见那宝城享殿④，成了刍牧⑤之场。[丑]呵呀呀！那皇城如何？[净]那皇城墙倒宫塌，满地蒿菜了。[副末掩泪介]不料光景至此。[净]俺又一直走到秦淮，立了半晌，竟没一个人影儿。[丑]那长桥旧院，是咱们熟游之地，你也该去瞧瞧。[净]怎的没瞧，长桥已无片板，旧院剩了一堆瓦砾。[丑捶胸介]咳！恸死俺也。[净]那时疾忙回首，一路伤心；编成一套北曲，名为"哀江南"。待我唱来！[敲板唱弋阳腔介]俺樵夫呵！

《哀江南》【北新水令】　山松野草带花挑，猛抬头秣陵重到。残军留废垒，瘦马卧空壕；村郭萧条，城对着夕阳道。

【驻马听】　野火频烧，护墓长楸⑥多半焦。山羊群跑，守陵阿监几时逃。鸽翎蝠粪满堂抛，枯枝败叶当阶罩。谁祭扫，牧儿打碎龙碑帽。

【沈醉东风】　横白玉八根柱倒，堕红泥半堵墙高，碎琉璃瓦片多，烂翡翠窗棂少，舞丹墀⑦燕雀常朝，直入宫门一路蒿，住几个乞儿饿殍⑧。

---

①　孔尚任《桃花扇》所述李香君、侯方域故事至第四十出《入道》已完毕，李、侯二人大梦初醒，双双入道。《桃花扇》的最末一出，即续四十出《余韵》，则是写老赞礼、柳敬亭、苏昆生三人偶遇，老赞礼乃以巫腔【问苍天】、柳敬亭以弹词【秣陵秋】、苏昆生以北套曲《哀江南》各寄寓兴亡之感。其中以《哀江南》套最胜，已故南京曲家王正来先生曾为制谱，歌台至今传唱。

②　净：本出净扮苏昆生，副末扮老赞礼，丑扮柳敬亭。

③　孝陵：明太祖朱元璋的陵墓，在今南京市东北钟山南面。

④　宝城：皇帝陵墓四周的墙垣。享殿：祭殿。

⑤　刍牧：割草放牧。

⑥　长楸(qiū)：高大的楸树。古人多于坟墓前植松、楸。

⑦　丹墀(chí)：指宫殿的赤色台阶或赤色地面。

⑧　饿殍(piǎo)：饿死的人。

【折桂令】 问秦淮旧日窗寮①，破纸迎风，坏槛当潮，目断魂消。当年粉黛，何处笙箫。罢灯船端阳不闹，收酒旗重九无聊。白鸟飘飘，绿水滔滔，嫩黄花有些蝶飞，新红叶无个人瞧。

【沽美酒】 你记得跨青溪半里桥，旧红板没一条。秋水长天人过少，冷清清的落照，剩一树柳弯腰。

【太平令】 行到那旧院门，何用轻敲，也不怕小犬哰哰。无非是枯井颓巢，不过些砖苔砌草。手种的花条柳梢，尽意儿采樵；这黑灰是谁家厨灶？

【离亭宴带歇指煞】 俺曾见金陵玉殿莺啼晓，秦淮水榭花开早，谁知道容易冰消。眼看他起朱楼，眼看他宴宾客，眼看他楼塌了。这青苔碧瓦堆，俺曾睡风流觉，将五十年兴亡看饱。那乌衣巷不姓王，莫愁湖鬼夜哭，凤凰台栖枭鸟②。残山梦最真，旧境丢难掉，不信这舆图③换稿。诌一套哀江南，放悲声唱到老。

[副末掩泪介]妙是绝妙，惹出我多少眼泪。[丑]这酒也不忍入唇了，大家谈谈罢。

——清康熙刊本《桃花扇》

---

① 寮(liáo)：小屋、小室为寮。
② 枭(xiāo)鸟：本指凶猛之鸟，此处比喻恶人。
③ 舆图：即地图。舆图换稿意谓改朝换代。

古代戏曲类别之二：元曲杂剧

元曲与唐诗、宋词并称"一代之文学"，主要因元曲杂剧。明清以来元曲杂剧极受推崇，以至"杂剧"一词最初的贬义色彩逐渐消失了。金元人为何会发明整齐一律四折的元曲杂剧，至今仍是一谜。明中叶后的文人杂剧虽仍存杂剧之名，但其结构已与元人大异。元曲杂剧作为中国古代戏曲的重要一类，竟后无来者，也令人称奇。

元曲杂剧的出现及其结构

　　靖康二年闰十一月（1127 年元月），金人攻破北宋都城东京（开封），掳徽宗、钦宗二帝及赵氏宗亲、后宫妃嫔与朝臣三千余人北上，史称靖康之变。金灭北宋是野蛮民族战胜文明民族，百余年后的 1234 年，金灭于蒙古，于是蛮族战胜文明民族的历史再次重演。金亡国时，其文化已非常发达。金遗民元好问（1190—1257）正是怀抱保存金文化之志，编纂了《中州集》。而元曲杂剧与金的文化积累有密切关联，元曲杂剧似出于金遗民的创造。

　　元曲杂剧究竟何时出现，今日已难于考实。钟嗣成《录鬼簿》"前辈已死名公才人，有所编传奇传于世者"所录五十余位杂剧家，以关汉卿为首。朱权（1378—1448）《太和正音谱》或以此为据，故云："（关汉卿）乃可上可下之才，盖所以取

者,初为杂剧之始,故卓以前列。"元末邾经《青楼集·序》载:
"我皇元初并海宇,而金之遗民若杜散人、白兰谷、关已斋辈,
皆不屑仕进,乃嘲弄风月,流连光景。"杜散人即杜仁杰
(1201?—1280?),出身世家,金亡不仕。与元好问相契,有
诗文相酬。有很著名的散曲套曲【般涉调·耍孩儿】(《庄稼
不识勾栏》),无杂剧。白兰谷即白朴(1226—1306),作有散
曲及杂剧。其绝意仕宦应在元中统二年(1261)以后。关已
斋即关汉卿,一般被认为属早期元曲家,或与白朴同辈。假
如关汉卿、白朴为第一辈杂剧家,他们可能在三四十岁时开
始尝试杂剧创作,则其上限似不应早于忽必烈登基为蒙古国
皇帝的中统元年(1260)。至元二十六年(1289),元著名文人
胡祗遹(1227—1295)赴任江南浙西道提刑按察使,曾写有
《朱氏诗卷序》提及著名杂剧演员朱帘秀,称其演艺精湛。据
此,则元曲杂剧出现的下限应不晚于至元二十六年。

　　自钟嗣成《录鬼簿》所载杂剧家籍贯来看,"北人"远多于
"南人",大都(北京)最多,其次为山西平阳、河北真定、山东
东平等。这些地方皆为各路首府所在地,主政者都是归附蒙
元的前金官员,社会秩序相对稳定,故这些地方一时成为文
人的聚集地。元曲用韵不同于宋词韵的地方主要是"入派三
声"(入声字分别派入平声、上声、去声)以及平声分阴、阳,这
显然是当时北方语音的实际反映。故元曲杂剧最早应形成
于金的故地,元灭南宋后传至南方,"南人"(南宋故地的汉
人)也效仿"北人"撰写杂剧。故金的文化积累对元曲杂剧至
关重要,今人往往过于强调元曲杂剧的"蒙元"因素,显然是
不妥当的。元曲杂剧从总体而言当然是汉文化(最初是北方
的汉文化)的一种继续和呈现。

　　根据钟嗣成《录鬼簿》、朱权《太和正音谱》、臧懋循《元曲
选目》等文献所载,元曲杂剧凡五百四十余种,然大多亡佚,

今存者仅一百五十多种。现存元剧版本主要有三类，即元刊本、明钞本和明刊本。元刊杂剧共三十种，合称《元刊杂剧三十种》，乃明清李开先等收藏家汇集标为"大都"、"古杭"的单刻本三十种而成。这些单刻本可能是演员（正旦或正末）自家用的掌记本，由于皆系民间坊刻，脱误甚多，今有郑骞、徐沁君、宁希元等三种校订本，皆便于读者。明钞本主要见于赵琦美万历年间编辑的《脉望馆钞校本古今杂剧》。明刊本除李开先编刻的《改定元贤传奇》（仅存六种）外，大都刊刻于明万历中后期，如新安徐氏万历十七年（1589）覆刻本《古名家杂剧》、明息机子万历年二十六年（1598）编刻的《杂剧选》及臧懋循明万历四十三年、四十四年先后编刻的《元曲选》一百种等。相比元刊本，明刊本显然工整、雅致，这说明明代中后期元剧本已成为人们案头赏读的一种书籍。

人们谈及元剧的结构体制，大多会说到"四折一楔子"，且解释云：元剧四折，每一折相当于戏剧之一场或一幕，楔子则相当于较短的过场戏。这种通行的说法实际有很大问题。

一本元剧通例用四套北曲，每套曲一般十支左右曲牌、用同韵。元剧文本皆由曲、白组成，每一折不论有多少宾白，皆用一套曲。元剧"楔子"亦由曲、白组成，无论宾白多少，皆用一两支单曲（以【赏花时】、【端正好】为最常见）。

如果元剧一折相当于一场或一幕，即情节结构单位，那么每一折宾白是必然需要的，但不一定要用一套曲，也可以用两三套曲、半套曲或不用曲。元剧每折必用一套曲，每本必用四套曲，恰恰说明四套曲是根本性的、结构性的。楔子的情况也类似，如果楔子为叙事性的过场戏，完全可以不必用曲或用多支曲。每一楔子必用一两支单曲，正说明楔子之为楔子恰恰是指这一两支单曲。因为现存元剧大概有三分之二的剧作使用楔子，这说明楔子并非元剧结构所必须。而

《古本戏曲丛刊》影印《元刊杂剧三十种》本《单刀会》书影

今存者仅一百五十多种。现存元剧版本主要有三类，即元刊本、明钞本和明刊本。元刊杂剧共三十种，合称《元刊杂剧三十种》，乃明清李开先等收藏家汇集标为"大都"、"古杭"的单刻本三十种而成。这些单刻本可能是演员（正旦或正末）自家用的掌记本，由于皆系民间坊刻，脱误甚多，今有郑骞、徐沁君、宁希元等三种校订本，皆便于读者。明钞本主要见于赵琦美万历年间编辑的《脉望馆钞校本古今杂剧》。明刊本除李开先编刻的《改定元贤传奇》（仅存六种）外，大都刊刻于明万历中后期，如新安徐氏万历十七年（1589）覆刻本《古名家杂剧》、明息机子万历年二十六年（1598）编刻的《杂剧选》及臧懋循明万历四十三年、四十四年先后编刻的《元曲选》一百种等。相比元刊本，明刊本显然工整、雅致，这说明明代中后期元剧本已成为人们案头赏读的一种书籍。

人们谈及元剧的结构体制，大多会说到"四折一楔子"，且解释云：元剧四折，每一折相当于戏剧之一场或一幕，楔子则相当于较短的过场戏。这种通行的说法实际有很大问题。

一本元剧通例用四套北曲，每套曲一般十支左右曲牌、用同韵。元剧文本皆由曲、白组成，每一折不论有多少宾白，皆用一套曲。元剧"楔子"亦由曲、白组成，无论宾白多少，皆用一两支单曲（以【赏花时】、【端正好】为最常见）。

如果元剧一折相当于一场或一幕，即情节结构单位，那么每一折宾白是必然需要的，但不一定要用一套曲，也可以用两三套曲、半套曲或不用曲。元剧每折必用一套曲，每本必用四套曲，恰恰说明四套曲是根本性的、结构性的。楔子的情况也类似，如果楔子为叙事性的过场戏，完全可以不必用曲或用多支曲。每一楔子必用一两支单曲，正说明楔子之为楔子恰恰是指这一两支单曲。因为现存元剧大概有三分之二的剧作使用楔子，这说明楔子并非元剧结构所必须。而

古杭新刊的本關大王單刀會

《古本戏曲丛刊》影印《元刊杂剧三十种》本《单刀会》书影

今存者仅一百五十多种。现存元剧版本主要有三类，即元刊本、明钞本和明刊本。元刊杂剧共三十种，合称《元刊杂剧三十种》，乃明清李开先等收藏家汇集标为"大都"、"古杭"的单刻本三十种而成。这些单刻本可能是演员（正旦或正末）自家用的掌记本，由于皆系民间坊刻，脱误甚多，今有郑骞、徐沁君、宁希元等三种校订本，皆便于读者。明钞本主要见于赵琦美万历年间编辑的《脉望馆钞校本古今杂剧》。明刊本除李开先编刻的《改定元贤传奇》（仅存六种）外，大都刊刻于明万历中后期，如新安徐氏万历十七年（1589）覆刻本《古名家杂剧》、明息机子万历年二十六年（1598）编刻的《杂剧选》及臧懋循明万历四十三年、四十四年先后编刻的《元曲选》一百种等。相比元刊本，明刊本显然工整、雅致，这说明明代中后期元剧本已成为人们案头赏读的一种书籍。

人们谈及元剧的结构体制，大多会说到"四折一楔子"，且解释云：元剧四折，每一折相当于戏剧之一场或一幕，楔子则相当于较短的过场戏。这种通行的说法实际有很大问题。

一本元剧通例用四套北曲，每套曲一般十支左右曲牌、用同韵。元剧文本皆由曲、白组成，每一折不论有多少宾白，皆用一套曲。元剧"楔子"亦由曲、白组成，无论宾白多少，皆用一两支单曲（以【赏花时】、【端正好】为最常见）。

如果元剧一折相当于一场或一幕，即情节结构单位，那么每一折宾白是必然需要的，但不一定要用一套曲，也可以用两三套曲、半套曲或不用曲。元剧每折必用一套曲，每本必用四套曲，恰恰说明四套曲是根本性的、结构性的。楔子的情况也类似，如果楔子为叙事性的过场戏，完全可以不必用曲或用多支曲。每一楔子必用一两支单曲，正说明楔子之为楔子恰恰是指这一两支单曲。因为现存元剧大概有三分之二的剧作使用楔子，这说明楔子并非元剧结构所必须。而

古杭新刊的本關大王單刀會

荆州不同取　駕又云云　不可去〈么〉　荆州不同取

正末扮魯肅上　外末上奏佐云　駕云　外末云住

笑恐別干戈又交生吳受言您敢輕單桶海也合誅天子呵

過去見禮數了　駕云云　陛下萬歲〈么〉執微目愁兀那

脫金甲也羅袍紫前桃襖間朝神龍歸軸衣冶的民

一國納三綱不付他　阿清海晏而順民

處鑄刀并了童貪誅了袁紹

【劇終圖】咱本又遂國呈儀杂於賓他這君欲弱俁心開當日五

奥國素知又甲將老紅裔　駕云　啓合與它遠反上九州熱

當日曹操本末取　吳生被那爭兒無當住　翟末云住

【混江龍】

《古本戏曲丛刊》影印《元刊杂剧三十种》本《单刀会》书影

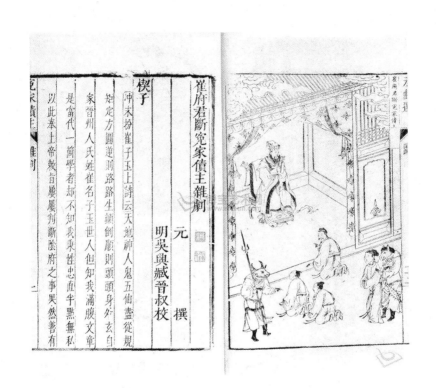

崔府君断冤家债主杂剧

元　　撰

明臧晋叔校

楔子

冲末扮崔子玉上诗云　天地神人鬼五仙尽从规矩定方圆逆测路路生顿倒顺则顺头身外玄白家晋州人氏姓崔名子玉世人但知我满腹文章是富代一简学者却不知我秉性忠直半点无私以此奉上帝敕旨屡屡判断阴府之事果然善有

《元曲选》本《冤家债主》书影

任何一种元剧,必用四套曲,这说明理解这四套曲是理解元剧体制的关键。

　　元剧四套曲制作有何要求呢?就形式方面而言,如前所述,每套曲十支左右曲牌、同套同韵,每支曲牌文字格律要有近似处,但并不严格一致。这十支左右的曲牌在前后连接上一般有相似性,但也可以随意一些,并无严格程式。如【仙吕·点绛唇】套,关汉卿《单刀会》(元刊本)为:

　　　　【仙吕·点绛唇】→【混江龙】→【油葫芦】→【天下乐】→【那吒令】→【鹊踏枝】→【寄生草】→【金盏儿】→【醉扶归】→【金盏儿】→【后庭花】→【赚煞尾】

高文秀《好酒赵元遇上皇》(元刊本)为:

　　　　【仙吕·点绛唇】→【混江龙】→【油葫芦】→【天下乐】→【那吒令】→【鹊踏枝】→【寄生草】→【醉中天】→【金盏儿】→【游四门】→【赏花时】→【赚煞】

郑庭玉《疏者下船》(元刊本)为:

　　　　【仙吕·点绛唇】→【混江龙】→【油葫芦】→【天下乐】→【那吒令】→【鹊踏枝】→【寄生草】→【幺篇】→【金盏儿】→【赚煞】

马致远《陈抟高卧》(元刊本)为:

　　　　【仙吕·点绛唇】→【混江龙】→【油葫芦】→【天下乐】→【醉中天】→【后庭花】→【金盏儿】→【后庭花】→

【金盏儿】→【醉中天】→【金盏儿】→【赚煞】

　　元剧套曲常用主要是七种套曲，即【仙吕·点绛唇】、【中吕·粉蝶儿】、【正宫·端正好】、【南吕·一枝花】、【越调·斗鹌鹑】、【商调·集贤宾】、【双调·新水令】。元剧四套大多以【仙吕·点绛唇】为首套、【双调·新水令】为第四套，其余【中吕·粉蝶儿】、【正宫·端正好】、【南吕·一枝花】三套分别用于第二、三套，这样组成一本"元曲杂剧"。

　　元剧表演的一个显著特征是"一人主唱"，即由同一演员（扮女称"正旦"、扮男称"正末"）主唱四套曲，其他脚色不唱曲，只有念白。如果四套曲皆"正旦"主唱，则为旦本；如果四套曲皆"正末"主唱，则为末本。但"正旦"或"正末"在同一戏剧中不必始终扮同一人，在一剧中改扮两人，甚至三四人都是可以的。如《薛仁贵》剧，"正末"在楔子中扮薛仁贵父唱楔子曲【端正好】，然后扮朝臣徐茂公唱第一套，又扮薛仁贵父唱第二套，再扮乡民伴哥唱第三套，最后又扮薛仁贵父唱第四套。据笔者统计，臧懋循编《元曲选》和近人隋树森编《元曲选外编》所收一百五十七种杂剧中，"正旦"或"正末"自始至终扮一人者有九十六种，一剧中前后扮两人者四十三种，一剧中扮三人者十六种，一剧中扮四人者两种。

　　在一般人的想象中，"正旦"、"正末"可能会扮演戏剧故事中的"主人公"或"主要人物"，而这一人物又是作家着意刻画的形象。从表面看来似乎如此，如《窦娥冤》中"正旦"始终扮窦娥唱四套曲，《汉宫秋》中"正末"始终扮汉元帝唱四套曲，《倩女离魂》中"正旦"始终扮张倩女唱四套曲等。

　　但这种想象显然有大问题。如前举《薛仁贵》剧，该剧主要讲薛仁贵衣锦还乡事，故事的主人公显然是薛仁贵，但薛仁贵竟然根本没有唱套曲的份儿。又如水浒戏《三虎下山》，写关胜、徐宁和花荣三位梁山英雄赴法场营救恩人李千娇事。此戏按理完全可以为末本,但此剧实为旦本,三位梁山英雄关胜、徐宁和花荣都无唱套曲的机会,作者却让一个与故事正题仅仅相关的一小官吏李孔目妻李千娇唱曲四套。三国戏《隔江斗智》,从故事内容看,应当使"正末"扮故事的核心人物诸葛亮或周瑜唱套曲,或者至少扮刘备、孙权、鲁肃一类的人物,但此剧却使"正旦"扮孙权妹孙安唱了四套曲。《千里独行》照理也应是末本戏,以关公为主骨,表其忠义,此剧却为旦本戏,"正旦"扮甘夫人唱了四套曲。《杀狗劝夫》所叙故事本是为表彰孙大妻之贤德,照理当是旦本,南戏《杀狗劝夫》中孙大妻的戏最多,但此剧却为末本戏,由"正末"扮孙二唱四大套。类似的例子我们还可以找到很多。

上述种种现象,迫使我们不得不思考:元杂剧的作家们究竟有没有戏剧叙事、表现戏剧人物的意识?

如果说元杂剧作家完全没有叙事意识或表现人物的意识当然是不妥的,因为元剧所用的四套曲毕竟也都与叙事有关联,每一套曲作为代言之曲也要合于所扮戏剧人物的口吻。但上述种种现象,也应使我们不得不承认:对于元剧作家而言,他们最关心的是四套曲的制作。只要其所撰四套曲符合旦本或末本的规矩,每一套曲皆合于所代言人物的口吻,即是合格的作品。作家们可以在代言套曲的写作方面显示才华、一比高下,至于如何利用套曲去紧凑地完成叙事、表现戏剧人物,则非其用心之所在! 从这一意义上说,元杂剧作家实宜称为"(元)曲家",而非"戏剧家"。

元曲杂剧的多样世界

元曲杂剧的故事题材非常广泛，这一点与《南词叙录》"宋元旧篇"提到的早期戏文非常相似，而不是像《琵琶记》以后的传奇那样集中于男女婚恋故事。明周宪王朱权《太和正音谱》有"杂剧十二科"云：

> 一曰神仙道化 二曰隐居乐道 三曰披袍秉笏（即忠臣杂剧） 四曰忠臣烈士 五曰孝义廉洁 六曰叱奸骂谗 七曰逐臣孤子 八曰铍刀赶棒（即脱膊杂剧） 九曰风花雪月 十曰悲欢离合 十一曰烟花粉黛（即花旦杂剧） 十二曰神头鬼面（即神佛杂剧）

《太和正音谱》的"杂剧十二科"未知其来历，或为朱权本人杜撰（笔者倾向于后者）。这"十二科"虽然大致反映了元剧的题材类型，但显然是可以进行一些合并的。这样元剧题材类型或可分为婚姻爱情、历史故事、公案传奇、世情伦理、英雄豪杰、神仙道化、神话传说、文人事迹等几大类。

婚姻爱情类者最多，在现存元剧中约占三分之一，代表性的如关汉卿《救风尘》、《谢天香》，白朴《梧桐雨》、《墙头马上》，郑光祖《倩女离魂》，马致远《青衫泪》，石君宝《曲江池》，杨显之《潇湘雨》，乔吉《两世姻缘》等。

历史故事类主要是演绎历史人物故事，代表性的如狄君厚《介子推》、郑庭玉《疏者下船》、纪君祥《赵氏孤儿》、石君宝《秋胡戏妻》以及关汉卿《单刀会》、张国宾《薛仁贵》、无名氏

《昊天塔》等三国戏、隋唐故事戏、杨家将戏等。

公案传奇类现存者多与包拯相关,可归为包公故事,如关汉卿《窦娥冤》、《鲁斋郎》、《蝴蝶梦》,李行道《灰阑记》,无名氏《陈州粜米》,无名氏《合同文字》,无名氏《盆儿鬼》等,在这些戏剧中包拯多是刚直为民的"包青天",但也有些戏剧仅仅是剧末需要一位清官断案,于是有包公出场,包公的正直与才智并无多大用处,也有的公案剧完全不用包公,如王仲文《救孝子》、无名氏《朱砂担》等。

世情伦理类多反映宋元时流行的劝人为善、善恶有报等伦理观念,教化色彩较浓厚,如武汉臣《老生儿》,秦简夫《东堂老》、《剪发待宾》,无名氏《看钱奴》,无名氏《杀狗劝夫》,无名氏《焚儿救母》,无名氏《刘弘嫁婢》等。

神仙道化类主要以宣扬佛道思想为主,如马致远《陈抟高卧》、《黄粱梦》、《吕洞宾三醉岳阳楼》、《马丹阳三度任风子》,岳伯川《铁拐李岳》,范子安《竹叶舟》,无名氏《来生债》,无名氏《蓝采和》等。

英雄豪杰类主要是杨梓《敬德不服老》、无名氏《刘千病打独角牛》以及康进之《李逵负荆》、高文秀《双献功》、李文蔚《燕青博鱼》等水浒戏。

神话传说类主要是李好古《张生煮海》、尚仲贤《柳毅传书》、吴昌龄《张天师》、杨梓《霍光鬼谏》、王子一《误入桃源》、杨景贤《西游记》、无名氏《桃花女》、无名氏《锁魔镜》等。

文人事迹类主要是郑光祖《王粲登楼》、王伯成《李太白贬夜郎》、乔吉《扬州梦》、王实甫《破窑记》、费唐臣《贬黄州》、无名氏《醉写赤壁赋》等。

如前所述,窃以为宋代职业说书人作为中国文化的上通下达的中间人和普及者,使得底层不知"文"的小民得以知悉其耳目见闻之外的各种故事,三国故事、隋唐故事、杨家将故事、水浒故事、西游故事以及孟姜女故事、梁祝故事、包公故事等近世小说、戏剧、说唱等各种常见的题材故事，正是自宋元时代起开始普遍流行并相互取资的。宋代的说书人按照自家的价值观念和历史观念，对各种故事、人物进行重新处理和加工，以便以更鲜明和更易理解的价值评判迎合观众，曹孟德之"奸"、刘玄德之"仁"以及赵氏孤儿、杨家将等故事中的忠奸对立等正是在这一文化环境中产生的。

那么，宋元时代究竟有哪些故事在流行？令人遗憾的是，宋元人留下的可反映宋元流行故事的文献非常少。宋元戏文大多亡佚，较多保存原貌者仅《永乐大典戏文三种》；宋元讲唱完整者仅《董解元西厢记》及残缺不全的《刘知远诸宫调》、《天宝遗事诸宫调》；话本小说大多在晚明刊刻，哪些是宋元旧貌已难判断。但元人竟然留下完整的一百五六十种杂剧！

近代民间戏剧、小说、说唱及其他各种通俗文艺共享的各种流行故事，其基本面貌的奠定应可追溯至明代中后期。明中后期《三国演义》、《水浒传》、《西游记》及后来的《杨家将》、《岳飞传》、《隋唐演义》、《包公案》等小说先后以"书"的面目问世，从而直接成为各种通俗文艺直接取资的文学资源，各种通俗文艺再利用时可能会有增饰或变化，但其基本面貌却是由明中后期及后来这些先后问世的"书"所框架和约束的。众所周知，三国故事、水浒故事等都是经"世代累积"而成"书"，故探讨这些"世代累积型小说"的过程或者前三国故事、前水浒故事等显然非常有意义。

从这一意义上说，元人留下完整的一百五六十种杂剧为我们提供了可贵的资料，非常值得珍视！在这种杂剧作品中，我们可以看到可能完全不见于《三国演义》或《水浒传》的三国故事或水浒故事，杂剧的孙悟空可能与吴承恩《西游记》

小说中的孙悟空品行大异。

同时，这一百五六十种杂剧也多方面地反映了宋元社会习俗、宗教信仰、政治经济等内容。如无名氏《焚儿救母》杂剧，写孝子张屠因母剧病，向东岳神祈祷，愿将幼子焚诸醮盆，以乞母命。这种伤残骨肉的行为今人看来似很不可思议。另外，元人剧作以屠夫为主人公，赞颂其义行者颇多，如戏文《小孙屠》的孙屠、马致远《马丹阳三度任风子》杂剧中的任屠等，也颇值得注意。因为按道教、佛教的观念，屠夫会因杀生而造罪业，但在这些作品中屠夫竟多为正面形象。

无名氏《桃花女》杂剧，脉望馆钞校本《桃花女》写周恭精通周易八卦之理，开卦铺三十年，算卦福祸无差，但两次算卦均被桃花女以法术破解。周恭因骗娶桃花女，以便用计谋害，但几番用计也均被桃花女识破。臧懋循《元曲选》本周恭改作周公，协助周恭开卦铺的彭祖寿算由八百变为八十，桃花女所嫁乃周恭之子，而非周恭。按，周公制礼、辅佐成王，功高天下，故历代被尊为圣人。此周恭或非彼周公，但其精通易理，且得长寿彭祖协助，也颇为奇怪。且周恭与周公读音相同，大有渎圣之嫌。在民间巫术中，桃木有辟邪之用，剧中的桃花女也与一桃树同吉凶。《桃花女》杂剧中多处写到各种民间巫术及宋元婚俗。故从各方面看，《桃花女》杂剧的文化信息量极大，很值得深度解读。

无名氏《刘千病打独角牛》，题目正名为"般般社火上东岳 刘千病打独角牛"，此剧写每年三月十八日泰安东岳帝诞辰日，社火群集，官府主持有武术擂台赛，香客们"争交赌筹"。独角牛祖孙三代擂家出身，身强力壮，武术高强，已连续两年摆擂而无人敢上露台比试。但独角牛竟然被面黄肌瘦的刘千病打败了。此剧不但反映了宋元时的许多社会习俗，而且也反映了中国传统社会尚武的一面以及对武道的理解，读起来颇为有趣。

马致远《马丹阳三度任风子》等度脱剧，也颇值得玩味。此剧写任屠有"半仙之分"，值任屠生日，众屠齐来庆贺。众屠说马丹阳诱信众吃斋，屠门生意无法维继。任屠持刀去杀马丹阳。马丹阳施展法术，任屠头被神子杀掉，登时悟道，愿追随马丹阳出家学道。后任屠在菜园中种菜修持，其妻携子劝其还俗，任屠休了妻子，摔死了幼子。任屠学道十年后，六贼（眼、耳、鼻、舌、身、心）相扰，其子前来索命，为其子所杀，乃彻底悟道。按，马丹阳乃全真教创立者王重阳的大弟子，但道教未有"出家"之说，且讲求戒恶修善，不得杀生。而此剧有如此多的互相杀戮事。而其他度脱剧也有不少杀戮事。马致远《吕洞宾三醉岳阳楼》中，吕洞宾为度脱开茶楼的郭马儿，送一把剑给郭马儿让其杀妻。郑廷玉《忍字记》中，布袋和尚为使刘均佐领悟"忍"字，两次诱使刘均佐杀人。其他如李寿卿《庄周梦》、贾仲明《升仙梦》等度脱剧也都有杀人悟道事。这种杀人悟道的思想或许反映了民间对佛道解脱观念的一种体认。

王国维先生曾论元剧云："（元剧）以其自然故，故能写当时政治及社会之情状，足以供史家论世之资者不少。"我们以上所列数例，可见一斑。

然而现存元剧文本，又不可直接如《史记》、《汉书》或唐诗、宋词一样进行解读。这是因为今人能看到的《元曲选》等明刊本、明钞本杂剧并非杂剧家直接独立完成的统一性的文本。

如前所述，对元杂剧家（实更宜称为元曲家）而言，写作一本杂剧主要是以某一故事为依托，制作四套曲（旦本或末本）。一本完整的杂剧，当然有曲、有白，而套曲更便于抒情，这样戏剧的叙事不能不主要依赖宾白。而杂剧家自然主要用心于曲——曲最可表现其文学才华,宾白写作可能非常之简略,甚至完全不写宾白——这样如果杂剧付诸搬演,只能是杂剧艺人在杂剧家提供的四套曲的框架内,根据他们对故事情节内容的了解,增添宾白,敷衍成剧。这也就是说,一杂剧文本乃作家之曲与艺人之白所共成。

从现存文献看,明初内廷及诸藩王府邸常搬演元杂剧,今人读到的《元曲选》等明刊本、明钞本杂剧大多自内廷流出,其文本的基本定型应在明代前期。在此之前,元人之曲可能相对稳定,而艺人之白则一直变动不居。我们今人读到的杂剧宾白可能有元明两代艺人的不断累积。而杂剧在内廷演出时,特殊的搬演环境,使其不免带有浓厚的皇权文化的烙印。明中叶后杂剧文本在李开先、臧懋循等杂剧选家编刻时,杂剧选家们也会重加修订和增删,或多或少地赋予一些文人的趣味和观念。如果考虑到杂剧家制作套曲时所依托的故事很可能是宋人或金人的思想观念,这样我们今天读到的元剧文本实在是一种多重世界的组构和叠加。

元曲四大家：关、白、马、郑

　　据钟嗣成《录鬼簿》、朱权《太和正音谱》等文献所载，元剧作家除很多无名氏作家外，姓名可知者近二百人，其中最著名者一般认为是关汉卿、白朴、马致远、郑光祖等，所谓"元曲四大家"。此四人为人并称，始自周德清《中原音韵》，书中有："关、郑、白、马一新制作，韵共守自然之音，字能通天下之话，字畅语俊，韵促音调。观其所述，曰忠，曰孝，有补于世。"周德清之后，明清人也有不满此排序者（如王骥德认为应将王实甫列入四大家），但元曲四大家之说终成事实。如从年辈来说，《中原音韵》的"关、郑、白、马"实宜调整为"关、白、马、郑"。

　　关汉卿，生卒年、籍贯等均不详。钟嗣成《录鬼簿》说："关汉卿，大都人，太医院尹，号已斋叟。"元熊自得《析津志》说其"生而倜傥，博学能文，滑稽多智，蕴藉风流，为一时之冠"。或说其为解州人（今山西运城）、祁州人（今河北安国县）人。笔者倾向认为，关汉卿为解州人（因崇拜同为解州人的关羽而作《单刀会》），后曾长期生活于大都（北京），约生于元太宗窝阔台在位时代（1229—1241），卒于元成宗铁木耳大德年间（1297—1307）。

　　关汉卿现存小令五十八首，套数十一篇。作杂剧六十余种，是现存作品最多的杂剧家，现存十余种，如《关大王单刀会》、《关张双赴西蜀梦》、《感天动地窦娥冤》、《诈妮子调风月》、《望江亭中秋切脍旦》、《赵盼儿风月救风尘》、《温太真玉镜台》、《闺怨佳人拜月亭》、《钱大尹智宠谢天香》、《包待制智斩鲁斋郎》等,从题材类型来说非常广泛,几乎涉及《太和正音谱》"杂剧十二科"各科。

《关大王单刀会》为其历史剧中的代表作。该剧现存元刊本、明脉望馆抄本两种版本,两种版本的曲辞差异不大,宾白差异则甚大,元刊本宾白仅三四百字,明钞本宾白则有五六千字。该剧剧情大概为:

鲁肃向孙权献策索取荆州,欲邀驻守荆州的关羽过江赴宴,以便迫使刘备归还荆州。乔国老(正末扮)被鲁肃请来商讨索取荆州事,乔国老唱说关公盖世之勇,劝鲁肃不要索取荆州(以上第一折)。鲁肃拟请道人司马徽(正末扮)在宴席上作陪,向其说明自己索取荆州的计谋。司马徽唱说关公神勇,劝鲁肃死了索取荆州之心(以上第二折)。鲁肃派使者送书邀请关公(正末扮)单刀赴会,关平劝关公不要赴会,关公唱说自己的英勇历史,表示毫无畏惧(以上第三折)。关公(正末扮)过江赴会,在宴席上义正辞严地驳斥鲁肃,唱说自家英勇事迹,鲁肃无奈护送其返回江边,关平率兵迎接关公。

现代读者如果着眼于戏剧叙事,一定颇感奇怪——整个戏剧几乎没有剧情的展开,戏剧的核心情节单刀赴会只是在第四折才出现,而且也没有进行集中描绘。整个戏剧实际上就是不断重复赞颂关公盖世之勇,乔国老、司马徽分别赞颂了一次,关公自家赞颂了两次!关汉卿的杂剧除《单刀会》、《关张双赴西蜀梦》外,大都叙事性较强,由此来看,《单刀会》、《关张双赴西蜀梦》可能是其早期作品。

但如果着眼于曲辞,我们不得不承认,《单刀会》不愧为元剧一流作品,如其第四折套曲前两支:

【双调·新水令】　大江东去浪千叠,引着这数十人驾着这小舟一叶。又不比九重龙凤阙,可正是千丈虎狼穴。

大丈夫心烈，我觑这单刀会似赛村社。

【驻马听】 水涌山叠，年少周郎何处也？不觉的灰飞烟灭，可怜黄盖转伤嗟。破曹的樯橹一时绝，鏖兵的江水犹然热，好教我情惨切！二十年流不尽的英雄血！

作为代言之曲，这两曲情、景、事相融，传神地写出了关公单刀赴会时英雄慷慨之情。也无怪乎近人王国维甚为推崇，《宋元戏曲史》谓："关汉卿一空倚傍，自铸伟词，而其言曲尽人情，字字本色，故当为元人第一。"

关公自唐宋以来不断被官方追封，神道地位日隆，明清时被尊为关圣大帝，在民间广为崇奉，故《单刀会》演出之盛也绝非一般杂剧可比，唯非全本演出，而是其第四折（俗称《刀会》）、第三折（俗称《训子》），至近现代犹时见于舞台。

白朴（1226—1306？），字仁甫，一字太素，号兰谷。祖籍隩州（今山西河曲），后流寓真定（河北正定）。父白华为金枢密院判官，与元好问有通家之谊。白朴七岁遭壬辰（1232）蒙古侵金之难，赖父执元好问携带避难山东，寓居聊城，学问教养皆蒙元好问指点。蒙古太宗九年（1237），白华携白朴依附世守真定的蒙古将领史天泽。元世祖中统二年（1261），白朴36岁时，时任中枢左丞相的史天泽荐白朴出仕，白朴"再三逊谢"。世祖中统十七年（1280），徙家金陵，与诸遗老往还，寄情山水、诗酒。有词集《天籁集》传世。白朴作杂剧十六种，今存《梧桐雨》、《墙头马上》等三种。另有小令三十七首，套数四篇。

元代名臣缙绅，如元好问、刘秉忠、胡祗遹、卢挚、姚燧、庾天锡、张养浩、虞集、贯云时等，虽作小令、套数，而不作杂剧。作杂剧者多为布衣，或省掾令吏等低级官吏，且绝少出身世家者。今人所谓元曲包括散曲、杂剧两类，在当时散曲家与杂剧家实乃两个阶层，布衣掾吏作杂剧兼散曲者很多，而名臣缙绅作散曲兼作杂剧者则罕见。白朴既出身世家，作散曲亦作杂剧，也属少见。

《梧桐雨》为白朴杂剧代表作。该剧为末本，正末始终扮唐明皇，剧情大概为：

安禄山失职，被押解至京，本该问斩，唐明皇赦其罪，封为白衣将军。因杨国忠劝告，改派为渔阳节度使（以上楔子）。七月七夕，唐明皇在长生殿设宴，与杨贵妃盟誓愿白首偕老，世世永为夫妇（以上第一折）。唐明皇在御园沉香亭摆宴遣兴消闲，闻知安禄山兵变，已破潼关，唐明皇决定暂往西蜀避难（以上第二折）。唐明皇一行西行至马嵬驿，六军哗变，杀死杨国忠，又迫使唐明皇赐杨贵妃自缢（以上第三折）。明皇退居西宫，教画工描真容供养，日夜思念，一夜梦见贵妃，醒来只听到"秋雨梧桐叶落"，伤心不已（以上第四折）。

若从以上剧情概括看，《梧桐雨》叙事虽或散漫，总算不像《单刀会》那样没有剧情。实际上白朴在李杨故事长线中选择四个情节点或情境，以便让唐明皇唱四套抒情之曲。《梧桐雨》的成就当然在其曲辞。后来洪昇写作《长生殿》时，显然非常欣赏白朴的才华，《梧桐雨》的有些曲辞几乎完全被沿袭，如《梧桐雨》第二套曲首曲【粉蝶儿】为：

> 天淡云闲，列长空数行新雁。御园中夏景初残，柳添黄，荷减翠，秋莲脱瓣，坐近幽阑，喷清香玉簪花绽。

洪昇《长生殿》略加修饰为：

> 天淡云闲，列长空数行新雁。御园中秋色斑斓，柳添黄，萍减绿，红莲脱瓣。一抹雕阑，喷清香桂花初绽。

套曲最后一支煞尾曲,往往为作家最用心处,我们看《梧桐雨》第四套曲的【黄钟煞】:

> 顺西风低把纱窗哨,送寒气频将绣户敲。莫不是天故将人愁闷搅?度铃声响栈道。似花奴羯鼓调,如伯牙《水仙操》,洗黄花润篱落,渍苍苔倒墙角。渲湖山漱石窍,浸枯荷溢池沼,沾残蝶粉渐消,洒流萤焰不着。绿窗前促织叫,声相近雁影高。催邻砧处处捣,助新凉分外早。斟量来这一宵,雨和人紧厮熬。伴铜壶点点敲,雨更多泪不少。雨湿寒梢,泪染龙袍。不肯相饶,共隔着一树梧桐直滴到晓。

此曲乃曲中常见的赋体笔法,借各种比拟,描绘秋风秋雨之凄凉萧瑟,以衬托唐明皇无比感伤之情,可谓酣畅淋漓。

马致远(1250?—1324?),号东篱,大都(今北京)人。曾任浙江行省务提举官。钟嗣成《录鬼簿》将他列入"前辈已死名公才人,有所编传奇传于世者"。明初贾仲明为他写的【凌波仙】吊词有云:"万花丛里马神仙,百世集中说致远,四方海内皆谈羡,战文场,曲状元,姓名香贯满梨园。《汉宫秋》、《青衫泪》、《戚夫人》、《孟浩然》,共庾、白、关老齐肩。"按,元人俗称道士为神仙,马致远可能为全真教信徒。他曾参加元贞书会,与李时中、红字李二、花李郎等合写《黄粱梦》杂剧。作杂剧十五种,今存《汉宫秋》、《青衫泪》、《陈抟高卧》、《任风子》、《岳阳楼》、《荐福碑》等七种。散曲小令一百一十五首,套数十七篇。

《陈抟高卧》、《任风子》、《岳阳楼》、《黄粱梦》皆属于"隐居乐道"、"神仙道化"剧一类。《陈抟高卧》写赵匡胤为草莽英雄时,陈抟卦算其将为真主。后赵氏即位请陈抟下山辅政,陈抟辞谢。《任风子》、《岳阳楼》、《黄粱梦》分别写马丹阳、吕洞宾、钟离权等得道之人度脱他人入道事。如再联系马致远著名的散套【双调·夜行船】《秋思》等散曲所表露的思想,我们认为马致远确实有不与当权者合作的隐逸思想,其写作《陈抟高卧》、《任风子》等剧绝非偶然。

蒙元施行种族歧视制度,又长期废科举,汉族士人进身无门,故其隐逸高蹈亦属无可奈何,故马致远此类剧作仍见牢骚、愤懑。如《陈抟高卧》有曲辞云:

> 【滚绣球】 四百贯四百石,一品官二品职,只落的故纸上两行史记。虽然重裀卧列鼎二食,臣事君以忠,君使臣以礼。呀,便是死无那丧身之地。敢向那云阳市血染朝衣! 本居林下绝名利,贫道呵,自不合下山来惹是非,不如归去来兮。
>
> 【倘秀才】 道有个治家治国,俺索学分个为人为己。不患人之不己知。土坑上淡白粥,瓦钵内醋黄荠,采那首阳山蕨薇。

《荐福碑》剧写穷秀才张镐坎坷之命运,剧中张镐深陷绝境时唱到:

> 【寄生草】 这边拦住贤路,那边又挡住仕途。如今这越聪明越受聪明苦,越痴呆越享痴呆福,越糊突越有了糊突富! 则这有银的陶令不休官,无钱的子张学干禄。

由这样愤世嫉俗之辞,人们不难联想到当时贤愚颠倒的社会现实,也不妨视为马致远内心世界的一种折射。

相形之下,在《汉宫秋》、《青衫泪》这两部更为著名的作品中，马致远个人情绪色彩反倒很淡。《青衫泪》乃写白居易与琵琶女裴兴奴的爱情故事。以马致远的历史文化修养本不至虚构如此不合情理的故事，大概此前说书人已有类似的故事，马致远直接取为本事了。此剧如为末本，正末扮白居易，或可借白居易的文人身份抒写其失意、牢骚。但此剧为旦本，正旦扮裴兴奴唱四套曲，故《青衫泪》乃成一纯粹爱情剧。

《汉宫秋》写汉元帝与王昭君的爱情故事。此剧为末本，正末始终扮汉元帝。剧情大概为：汉元帝选宫女，命毛延寿画成图形，以备临幸。（以上楔子）王昭君自恃美貌，不肯行贿，毛点破美人图，昭君入宫却不被召。昭君夜弹琵琶，为元帝所遇，大加宠幸。（以上第一折）毛延寿为避祸投靠匈奴，挑拨单于索要昭君和番，元帝无奈应允。（以上第二折）元帝在霸陵桥饯别昭君。昭君于番汉交界处投水自尽，单于将毛延寿解送归汉。（以上第三折）汉元帝对昭君像伤怀，梦中短促一会，醒来见孤雁哀鸣，更添愁闷。（以上第四折）

《汉宫秋》的情节叙事及思想趣味显然皆非作家用心之所在，其四套曲设置与白朴《梧桐雨》很相近，代言之曲形容毕肖，颇见曲家才华。如第三折套曲写到元帝送别昭君后的无限感伤：

【梅花酒】 呀！俺向着这迥野悲凉，草已添黄，色早迎霜，犬褪得毛苍，人搠起缨枪，马负着行装，车运着糇粮，打猎起围场。他他他伤心辞汉主；我我我携手上河梁。他部从入穷荒，我銮舆返咸阳。返咸阳，过宫墙；过宫墙，绕回廊；绕回廊，近椒房；近椒房，月昏黄；月昏黄，夜生凉；夜生凉，泣寒螀；泣寒螀，绿纱窗；绿纱窗，不思量！

【收江南】 呀！不思量除是铁心肠！铁心肠也愁泪滴

千行。美人图今夜挂昭阳，我那里供养，便是我高烧银烛照红妆。

此曲用元曲常用的巧体手法"顶真体"，以苍茫秋色映衬元帝悲凉心绪，苍古雄健，令人称奇。王国维《宋元戏曲史》谓："白仁甫、马东篱，高华雄伟，情深文明……均不失为第一流。"可谓知言。

郑光祖，字德辉，平阳襄陵（山西临汾市襄汾县）人，生卒不详。钟嗣成《录鬼簿》"方今已亡名公才人余相知者"类有其小传，云："光祖，字德辉，平阳襄陵人。以儒补杭州路吏。为人方直，不妄与人交，故诸公多鄙之，久则见其情厚，而他人莫之及也。病卒，火葬于西湖之灵芝寺。诸吊送客各有诗文。公之所作，不待备述，名闻天下，声振闺阁，伶伦辈称'郑老先生'者，皆知为德辉也。"由此来看，郑光祖所结交者不乏上层文人（"诸吊送客各有诗文"），与底层的伶人往来也密切（"伶伦辈称'郑老先生'"）。按《录鬼簿》所载，他写有杂剧十七种，今存《倩女离魂》、《王粲登楼》、《㑇梅香翰林风月》等八种。小令六首，套数两篇。

《倩女离魂》剧出自唐陈玄祐《离魂记》，写张倩女与王文举系指腹为婚，王文举应试途经张家，欲申旧约。张母嫌文举功名未就，不许二人成婚。王文举上京应试，倩女忧思成疾，魂灵悠然离体，追赶文举，遂一同赴京。文举状元及第，衣锦还乡，携倩女回到张家，倩女魂魄与病躯重合为一。此剧为旦本，正旦扮张倩女及其魂灵。其故事人物皆不免俗套，但曲文传情细致入微，如其第三折张倩女与王文举分别后，写其相思之情：

【粉蝶儿】　自执手临岐，空留下这场憔悴，想人生最苦别离。说话处少精神，睡卧处无颠倒，茶饭上不知滋味。似这般废寝忘食，折挫得一日瘦如一日！

【醉春风】 空服遍暝眩药不能痊，知他这腌臜病何日起？要好时直等的见他时，也只为这症候因他上得、得。一会家缥缈呵忘了魂灵，一会家精细呵使着躯壳，一会家混沌呵不知天地。

【迎仙客】 日长也愁更长，红稀也信尤稀，春归也奄然人未归。（梅香云）姐姐，俺姐夫去了未及一年，你如何这等想他？我则道相别也数十年，我则道相隔着几万里。为数归期，则那竹院里刻遍琅玕翠。

这几支曲机趣灵动，颇为有趣。宋词中多见以闺阁女子口吻写相思之情者，如拿来对比，更可见元曲的精神趣味。

原典选读

关汉卿《单刀会》第四折①

[鲁肃上,云]欢来不似今朝,喜来那逢今日。小官鲁子敬是也。我使黄文持书去请,关公欣喜,许今日赴会,荆襄地合归还俺江东。英雄甲士已暗藏壁衣之后,令江上相候,见船到便来报我知道。[正末关公引周仓上,云]周仓,将到那里也?[周云]来到大江中流也。[正末云]看了这大江,是一派好水呵![唱]

【双调新水令】 大江东去浪千叠,引着这数十人驾着这小舟一叶。又不比九重龙凤阙②,可正是千丈虎狼穴。大丈夫心烈,我觑这单刀会似赛村社③。

[云]好一派江景也呵![唱]

【驻马听】 水涌山叠,年少周郎何处也?不觉的灰飞烟灭,可怜黄盖转伤嗟。破曹的樯橹一时绝④,鏖兵⑤的江水犹然热,好教我情惨切![云]这也不是江水,[唱]二十年流不尽的英雄血!

[云]却早来到也,报伏⑥去。[卒报科][做相见科][鲁云]江下小会,

---

① 关汉卿《单刀会》述关公过江赴宴,在宴席上义正辞严,驳斥鲁肃,安然返回荆州。关汉卿本折为关公所撰套曲激昂慷慨,贴切传神。本折目前仍有演出,俗称《刀会》。

② 九重龙凤阙:原指帝王住的宫殿,此处指离开蜀国的荆州。

③ 赛村社:即"赛社",传统中国社会常于每年农历十月农事完毕后,举行祭田神的祭祀活动,歌舞宴饮,谓之"赛社"。此处乃是关羽藐视东吴的一种比喻。

④ 樯:船桅杆。橹:比桨长大的划船工具,安在船尾或船旁。此处代指战船。

⑤ 鏖兵:激烈地战斗,苦战。

⑥ 报伏:回报。

酒非洞里之长春，乐乃尘中之菲艺①。猥劳君侯屈高就下②，降尊临卑，实乃鲁肃之万幸也。[正末云]量某有何德能，着大夫置酒张筵？既请必至。[鲁云]黄文，将酒来。二公子满饮一杯。[正末云]大夫饮此杯。[把盏科][正末云]想古今咱这人过日月好疾也呵！[鲁云]过日月是好疾也。光阴似骏马加鞭，浮世似落花流水。[正末唱]

【胡十八】 想古今立勋业，那里也舜五人、汉三杰③？两朝相隔数年别，不付能④见者，却又早老也！开怀的饮数杯。[云]将酒来，[唱]尽心儿待醉一夜。

[把盏科][正末云]你知道"以德报德，以直报怨"⑤么？[鲁云]既然将军言"以德报德，以直报怨"，借物不还者为之怨。想君侯文武全才，通练兵书，习《春秋》《左传》，济拔颠危，匡扶社稷，可不谓之仁乎？待玄德如骨肉，觑曹操若仇雠，可不谓之义乎？辞曹归汉，弃印封金⑥，可不谓之礼乎？坐服于禁，水淹七军⑦，可不谓之智乎？且将军仁、义、礼、智俱足，惜乎止少个信字，欠缺未完。再若得全个信字，无出君侯之右也。[正末云]我怎生失信？[鲁云]非将军失信，皆因令兄玄德公失信。[正末云]我哥哥怎生失信来？[鲁云]想昔日玄德公败于当阳之上，身无所归，因鲁肃之故，屯军三江夏口。鲁肃又与孔明同见我主公，即日兴师拜将，破曹兵于赤壁之间。江东所费巨万，又折了首将黄盖。因将军贤昆玉⑧无尺寸地，

---

① 长春：神话传说中仙人酿的酒。菲艺：浅薄的艺术。此两句为鲁肃的谦辞。

② 猥劳：即辱劳之意。猥，自谦之词。君侯：汉献帝曾封关羽为汉寿亭侯，故鲁肃称其为"君侯"。

③ 舜五人：相传舜手下有五位贤臣：禹（司马，掌平治水土）、皋陶（士官，掌刑法）、后夔（乐正，掌制诏乐）、弃（后稷，掌教种五谷）和契（司徒，掌教育百姓）。汉三杰：指辅佐刘邦开创天下的张良、萧何、韩信。

④ 不付能：才能够，好不容易。

⑤ 以德报德，以直报怨：出自《论语·宪问》。意为别人有恩德于我，我当以恩德报答他；别人与我有仇怨，我也应该用公正的态度去对待他。

⑥ 弃印封金：三国故事。关羽在许昌得到刘备的消息后，便将曹操所授"汉寿亭侯"之印留在原处，并将曹操所赠金银封存好，然后离去，以表清白。

⑦ "坐服"二句：此指曹操曾派于禁统领七支部队攻打樊城，庞德为先锋。关羽决襄江之水，庞德军被淹，庞德被擒。坐服，轻易制服，形容毫不费力。

⑧ 贤昆玉：对他人兄弟的敬称。喻其一门兄弟才德兼备，美如玉石。这里指刘备。

暂借荆州,以为养军之资,数年不还。今日鲁肃低情曲意,暂取荆州,以为救民之急;待仓廪丰盈,然后再献与将军掌领。鲁肃不敢自专,君侯台鉴①不错。〔正末云〕你请我吃筵席来那,是索荆州来?〔鲁云〕没、没、没,我则这般道。孙、刘结亲,以为唇齿,两国正好和谐。〔正末唱〕

【庆东原】 你把我真心儿待,将筵宴设,你这般攀今览古,分甚枝叶②?我跟前使不着你之乎者也诗云子曰,早该豁口截舌③!有意说孙刘,你休目下翻成吴越!

〔鲁云〕将军原来傲物轻信!〔正末云〕我怎么傲物轻信?〔鲁云〕当日孔明亲言:破曹之后,荆州即还江东。鲁肃亲为担保。不思旧日之恩,今日恩变为仇,犹自说"以德报德,以直报怨"。圣人道:"信近于义,言可复也④。""去食去兵,不可去信⑤"。"大车无輗,小车无軏,其何以行之哉⑥?"今将军全无仁义之心,枉作英雄之辈。荆州久借不还,却不道"人无信不立"!〔正末云〕鲁子敬,你听的这剑界⑦么?〔鲁云〕剑界怎么?〔正末云〕我这剑界,头一遭诛了文丑,第二遭斩了蔡阳⑧,鲁肃呵,莫不第三遭到你也?〔鲁云〕没、没,我则这般道来。〔正末云〕这荆州是谁的?〔鲁云〕这荆州是俺的。(正末云)你不知,听我说。〔唱〕

【沉醉东风】 想着俺汉高皇图王霸业,汉光武秉正除邪,汉献帝将董卓诛,汉皇叔把温侯灭。俺哥哥合情受汉家基业。

---

① 台鉴:阁下明察之意。台,旧时对人的一种敬称,如"兄台"、"台甫"。

② 分甚枝叶:意谓一棵树还分什么枝和叶,比喻不要将吴蜀的亲密关系搞坏了。

③ 豁口截舌:割开嘴,割断舌头。

④ "信近"二句:语出《论语·学而》。意谓守信和"义"是接近的,而守信之言可用行动来验证。

⑤ "去食"二句:语出《论语·颜渊》。意谓即使舍弃粮食和武装,也不能无信。孔子认为,"民无信不立",因此在食、兵、信三者中强调守信为最重要。

⑥ "大车"三句:语出《论语·为政》。意谓大车上没有輗,小车上没有軏,车如何能行走呢? 此处用以比喻人不可不守信。輗(ní)、軏(yuè)都是指车辕端与横木相接处的活销。

⑦ 剑界:剑响,剑鸣。

⑧ "头一遭"二句:文丑,袁绍手下名将。蔡阳,曹防军将。《三国演义》有关羽杀文丑、蔡阳事。

则你这东吴国的孙权，和俺刘家是甚枝叶？请你个不克己①先生自说！

[鲁云]那里甚么响？[正末云]这剑界二次也。[鲁云]却怎么说？[正末云]这剑按天地之灵，金火之精，阴阳之气，日月之形；藏之则鬼神遁迹，出之则魑魅②潜踪；喜则恋鞘沉沉而不动，怒则跃匣铮铮而有声。今朝席上，倘有争锋，恐君不信，拔剑施呈。吾当摄剑③，鲁肃休惊。这剑果有神威不可当，庙堂之器岂寻常；今朝索取荆州事，一剑先教鲁肃亡。[唱]

【雁儿落】　则为你三寸不烂舌，恼犯我三尺无情铁。这剑饥餐上将头，渴饮仇人血。

【得胜令】　则是条龙向鞘中蛰④，唬得人向座间呆。今日故友每才相见，休着俺弟兄每相间别。鲁子敬听者，你心内休乔怯⑤，畅好是随邪⑥，休怪我十分酒醉也。

[鲁云]臧宫⑦动乐。[臧宫上，云]天有五星，地攒五岳，人有五德，乐按五音。五星者：金、木、水、火、土。五岳者：常、恒、泰、华、嵩。五德者：温、良、恭、俭、让。五音者：宫、商、角、徵、羽。[甲士拥上科][鲁云]埋伏了者。[正末击案，怒云]有埋伏也无埋伏？[鲁云]并无埋伏。[正末云]若有埋伏，一剑挥之两断！[做击案科][鲁云]你击碎菱花。[正末云]我特来破镜⑧！[唱]

【搅筝琶】　却怎生闹吵吵军兵列，休把我当拦者。[云]当着我的，呵呵！[唱]我着他剑下身亡，目前流血。便有那张仪口、蒯

---

① 不克己：《论语》有"克己复礼为仁"句，克己即克制自己的私欲。
② 魑魅（chī mèi）：古谓能害人的山泽之神怪，亦泛指鬼怪。
③ 摄剑：拔剑。
④ 蛰（zhé）：虫类冬眠。此句指宝剑像龙一样在剑鞘里潜藏。
⑤ 乔怯：畏惧，害怕。
⑥ 畅好是：正好是，真好是。随邪：任性胡为。
⑦ 臧宫：吴国负责音乐的官员。
⑧ 破镜：象征决裂与分离，"镜"与"子敬"之"敬"谐音，语意双关。

通舌①，休那里躲闪藏遮。好生的送我到船上者，我和你慢慢的相别。

　　[鲁云]你去了倒是一场伶俐②。[黄文云]将军，有埋伏哩。[鲁云]迟了我的也。[关平领众将上，云]请父亲上船，孩儿每来迎接哩。[正末云]鲁肃，休惜殿后。[唱]

　　【离亭宴带歇指煞】　我则见紫袍银带公人③列，晚天凉风冷芦花谢，我心中喜悦。昏惨惨晚霞收，冷飕飕江风起，急飐飐④云帆扯。承管待、承管待，多承谢、多承谢。唤艄工慢者，缆解开岸边龙，船分开波中浪，棹搅碎江心月。正欢娱有甚进退，且谈笑不分明夜。说与你两件事先生记者：百忙里⑤趁不了老兄心，急且里倒不了俺汉家节⑥。

——明脉望馆钞本《单刀会》

白朴《梧桐雨》第四折⑦

　　[高力士上，云]自家高力士是也。自幼供奉内宫，蒙主上抬举，加为六宫提督太监。往年主上悦杨氏容貌，命某取入宫中，宠爱无比，封为贵妃，赐号太真。后来逆胡称兵，伪诛杨国忠为名，逼的主上幸蜀。行至中

---

①　张仪口、蒯（kuǎi）通舌：像张仪和蒯通那样的能言善辩。张仪，战国时魏人，曾游说齐楚燕韩赵魏六国连横事秦。蒯通，秦汉间齐人，曾游说范阳令徐公归降陈胜将领武臣，使武臣不战而下燕赵三十余城。又游说韩信而平定齐地。

②　伶俐：干净利落。前此鲁肃受到关公威胁，此句谓关公去后就无麻烦了。

③　公人：封建时代称衙门里的差役。此处应指关平所率兵将。

④　急飐飐（zhǎn）：形容帆动船飞顺风疾行的样子。飐：风吹物使颤动摇曳。

⑤　百忙：谓非常忙碌。

⑥　急且里：急迫之中。汉家节：节乃是古代使臣所持之信物，有代表国家的意义。此处的"汉家节"可理解为蜀国的国威。

⑦　白朴《梧桐雨》第四折记述唐明皇退居西宫后，日夜思念贵妃，命人描摹贵妃真容供养。一秋雨夜，明皇朦胧睡去，梦见贵妃邀其赴宴，醒来见秋雨萧索，闻雨滴梧桐，不胜感伤。此折曲辞描摹秋声秋色及人物情怀均传神如睹。

途,六军不进。右龙武将军陈玄礼奏过,杀了国忠,祸连贵妃。主上无可奈何,只得从之,缢死马嵬驿中。今日贼平无事,主上还国,太子做了皇帝。主上养老,退居西宫,昼夜只是想贵妃娘娘。今日教某挂起真容,朝夕哭奠。不免收拾停当,在此伺候咱。[正末上,云]寡人自幸蜀还京,太子破了逆贼,即了帝位。寡人退居西宫养老,每日只是思量妃子。教画工画了一轴真容供养着,每日相对,越增烦恼也呵![做哭科,唱]

【正宫·端正好】　自从幸西川还京兆,甚的是月夜花朝!这半年来白发添多少,怎打叠①愁容貌!

【幺篇】　瘦岩岩不避群臣笑,玉叉儿将画轴高挑。荔枝花果香檀卓②,目觑了伤怀抱。[做看真容科,唱]

【滚绣球】　险些把我气冲倒,身谩③靠,把太真妃放声高叫。叫不应,雨泪嚎啕。这待诏④手段高,画的来没半星儿差错。虽然是快染能描,画不出沉香亭畔回鸾舞,花萼楼前上马娇,一段儿妖娆。

【倘秀才】　妃子呵,常记得千秋节华清宫宴乐,七夕会长生殿乞巧。誓愿学连理枝比翼鸟,谁想你乘彩凤返丹霄命夭![带云]寡人越看越添伤感,怎生是好![唱]

【呆骨朵】　寡人有心待盖一座杨妃庙,争奈无权柄谢位辞朝。则俺这孤辰限⑤难熬,更打着离恨天⑥最高。在生时同衾枕,不能勾死后也同棺椁。谁承望马嵬坡尘土中,可惜把一朵海棠花

---

①　打叠:振作(精神)。

②　荔枝花果:《新唐书》载,杨贵妃嗜好荔枝,唐明皇命快骑传送,"走数千里味未变"。香檀:化妆品,用以描画口唇等。卓:高超,超绝。此句谓贵妃得明皇宠爱,所食用都是精品。

③　谩:缓慢。

④　待诏:秦汉以来凡擅长文辞、经术、医卜等有一技之长者,都常被朝廷收纳,随时等待皇帝招宣,称为待诏。此指宫廷画师。

⑤　孤辰限:孤寡不吉的日子。过去星命家用十天干和十二地支计算时辰,每旬多出的地支,称为孤辰。

⑥　离恨天:按道教之说,天有三十三层,其中"离恨天"为最高的天,又名大赤天、太清天、火赤天。

零落了。[带云]一会儿身子困乏,且下这亭子去闲行一会咱。[唱]

【白鹤子】　那①身离殿宇,信步下亭皋②。见杨柳袅翠蓝③丝,芙蓉拆④胭脂萼。

【幺】　见芙蓉怀媚脸,遇杨柳忆纤腰。依旧的两般儿点缀上阳宫,他管一灵儿潇洒长安道。

【幺】　常记得碧梧桐阴下立,红牙筯⑤手中敲。他笑整缕金衣,舞按霓裳乐。

【幺】　到如今翠盘中荒草满,芳树下暗香消。空对井梧阴,不见倾城貌。[做叹科,云]寡人也怕闲行,不如回去来。[唱]

【倘秀才】　本待闲散心追欢取乐,倒惹的感旧恨天荒地老。快快归来凤帏悄,甚法儿挨今宵懊恼![带云]回到这寝殿中,一弄儿助人愁也。[唱]

【芙蓉花】　淡氤氲篆烟袅⑥,昏惨剌⑦银灯照。玉漏迢迢⑧,才是初更报。暗觑清宵,盼梦里他来到。却不道口是心苗⑨,不住的频频叫。[带云]不觉一阵昏迷上来,寡人试睡些儿。[唱]

【伴读书】　一会家心焦躁,四壁厢秋虫闹。忽见掀帘西风恶,遥观满地阴云罩。俺这里披衣闷把帏屏靠,业眼⑩难交。

【笑和尚】　原来是滴溜溜绕闲阶败叶飘,疏剌剌刷落叶被西风扫,忽鲁鲁风闪得银灯爆。厮琅琅鸣殿铎⑪,扑簌簌动朱

---

① 那:同"挪"。
② 亭皋:水边的高地。
③ 翠蓝:青蓝色。此句谓杨柳摇曳,呈现青色丝条。
④ 拆:同"坼",裂开、绽开之意。此句谓芙蓉花已开。
⑤ 红牙筯:红色象牙制成的筷子样的打节拍的乐器。
⑥ 氤(yīn)氲(yūn):指弥漫的烟气。篆烟:烟气盘旋屈曲,像篆书一样,故云。
⑦ 昏惨剌:昏暗、凄惨貌。剌:语助词。
⑧ 迢迢:时间久长貌。
⑨ 口是心苗:意谓心中的思想情感,必然在语言中有表露。
⑩ 业眼:造孽的眼。多于自怨自詈时用之。
⑪ 厮琅琅:表示清脆金属声的拟声词。殿铎:殿铃。

箔^①，吉丁当玉马儿^②向檐间闹。〔做睡科，唱〕

【倘秀才】 闷打颏^③和衣卧倒，软兀刺^④方才睡着。〔旦上，云〕妾身贵妃是也。今日殿中设宴，宫娥，请主上赴席咱。〔正末唱〕忽见青衣走来报，道太真妃将寡人邀宴乐。

〔正末见旦科，云〕妃子，你在那里来？〔旦云〕今日长生殿排宴，请主上赴席。（正末云）分付梨园子弟齐备着。〔旦下〕〔正末做惊醒科，云〕呀！元来是一梦。分明梦见妃子，却又不见了。〔唱〕

【双鸳鸯】 斜軃翠鸾翘，浑一似出浴的旧风标^⑤，映着云屏一半儿娇。好梦将成还惊觉，半襟情湿鲛绡^⑥。

【蛮姑儿】 懊恼，窨约^⑦。惊我来的又不是楼头过雁，砌下寒蛩，檐前玉马，架上金鸡。是兀那窗儿外梧桐上雨潇潇。一声声洒残叶，一点点滴寒梢，会把愁人定虐^⑧。

【滚绣球】 这雨呵，又不是救旱苗，润枯草，洒开花萼，谁望道秋雨如膏。向青翠条，碧玉梢，碎声儿剐剥，增百十倍歇和^⑨芭蕉。子管^⑩里珠连玉散飘千颗，平白地瀽瓮番盆^⑪下一宵，惹的人心焦。

【叨叨令】 一会价紧呵，似玉盘中万颗珍珠落；一会价响呵，似玳筵^⑫前几簇笙歌闹；一会价清呵，似翠岩头一派寒泉瀑；一会价猛呵，似绣旗下数面征鼙操。兀的不恼杀人也么哥！兀的

---

① 朱箔（bó）：红色的帘子。

② 玉马儿：古代屋檐头悬挂的玉片，能于风中撞击发声，用以惊鸟雀。

③ 闷打颏：亦作"闷打孩"，烦闷、闷闷地。

④ 软兀刺：软摊摊的样子。兀刺：语助词，无实在意义。

⑤ 风标：风韵。杨贵妃赐浴华清池，为李、杨情爱之始。

⑥ 鲛绡：亦作"鲛鮹"。指毛帕、丝巾。

⑦ 窨（yìn）约：苦闷，烦恼。

⑧ 定虐：打扰，扰害。

⑨ 歇和：谓声音相和。

⑩ 子管：只管，一味。

⑪ 瀽（jiǎn）瓮番盆：即倒瓮翻盆，形容雨大。番：同"翻"。

⑫ 玳筵：即玳瑁筵，雅致的宴席。

不恼杀人也么哥，则被他诸般儿雨声相聒噪。

【倘秀才】　这雨一阵阵打梧桐叶凋，一点点滴人心碎了。枉着金井银床①紧围绕，只好把泼枝叶做柴烧，锯倒。[带云]当初妃子舞翠盘时，在此树下，寡人与妃子盟誓时，亦对此树。今日梦境相寻，又被他惊觉了。[唱]

【滚绣球】　长生殿那一宵，转回廊、说誓约，不合对梧桐并肩斜靠，尽言词絮絮叨叨。沉香亭那一朝，按《霓裳》、舞《六幺》，红牙筯击成腔调，乱宫商闹闹炒炒。是兀那当时欢会栽排下今日凄凉厮辏②着，暗地量度。[高力士云]主上，这诸样草木，皆有雨声，岂独梧桐？[正末云]你那里知道，我说与你听者。[唱]

【三煞】　润濛濛杨柳雨，凄凄院宇侵帘幕。细丝丝梅子雨，装点江干满楼阁。杏花雨红湿阑干，梨花雨玉容寂寞。荷花雨翠盖翩翩，豆花雨绿叶潇条。都不似你惊魂破梦，助恨添愁，彻夜连宵。莫不是水仙弄娇，蘸杨柳洒风飘？

【二煞】　㖫㖫似喷泉瑞兽临双沼③，刷刷似食叶春蚕散满箔。乱洒琼阶，水传宫漏，飞上雕檐，酒滴新槽。直下的更残漏断，枕冷衾寒，烛灭香消。可知道夏天不觉，把高凤④麦来漂。

【黄钟煞】　顺西风低把纱窗哨，送寒气频将绣户敲。莫不是天故将人愁闷搅？度铃声响栈道。似花奴羯鼓⑤调，如伯牙《水仙操》，洗黄花润篱落，渍苍苔倒墙角。渲湖山漱石窍，浸枯荷溢池沼，沾残蝶粉渐消，洒流萤焰不着。绿窗前促织叫，声相

① 金井银床：金井，一般常用以指代宫廷或园林中的井。银床，井上的辘轳架，一说是井边围栏。
② 厮辏：聚集。
③ 㖫（chuáng）㖫：拟声词。喷泉瑞兽：指池边石兽，水从其口中喷出。
④ 高凤：东汉时人，据说因专心读书，所晒之麦为暴雨冲走而不觉。见《后汉书·高凤传》。
⑤ 花奴羯鼓：唐汝阳王李琎小名花奴，擅长击羯鼓。

近雁影高。催邻砧①处处捣，助新凉分外早。斟量来这一宵，雨和人紧厮熬。伴铜壶点点敲，雨更多泪不少。雨湿寒梢，泪染龙袍。不肯相饶，共隔着一树梧桐直滴到晓。

题目　安禄山反叛兵戈举

　　　陈玄礼拆散鸾凤侣

正名　杨贵妃晓日荔枝香

　　　唐明皇秋夜梧桐雨

——《元曲选》本《梧桐雨》

马致远《汉宫秋》第三折②

[番使③拥旦上，奏胡乐科，旦云]妾身王昭君，自从选入宫中，被毛延寿将美人图点破④，送入冷宫。甫⑤能得蒙恩幸，又被他献与番王形像⑥。今拥兵来索，待不去，又怕江山有失；没奈何将妾身出塞和番。这一去，胡地风霜，怎生消受也！自古道："红颜胜人多薄命，莫怨春风当自嗟⑦。"[驾引文武内官上，云]今日灞桥饯送明妃，却早来到也。[唱]

【双调·新水令】　锦貂裘生⑧改尽汉宫妆，我则索⑨看昭

①　砧(zhēn)：捣衣石。杜甫《秋兴》诗之一："寒衣处处催刀尺，白帝城高急暮砧"。此乃化用，描摹雨声。

②　《汉宫秋》第三折叙汉元帝在灞桥饯别昭君，套曲主要描摹元帝别离时的心绪，曲辞沉郁悲凉，在现存元曲中非常突出。臧懋循《元曲选》二集共选杂剧一百种，《汉宫秋》位列第一集第一种应非偶然。

③　番使：指匈奴使者。

④　将美人图点破：《汉宫秋》第一折曾写道毛延寿奉旨天下选女，入选者皆图形献给汉元帝，元帝按图临幸。故入选者多暗中送金银给毛延寿，而王昭君自恃美貌，不肯行贿。毛延寿因此在其美人图上做些破绽，使王昭君长处冷宫，不得临幸。

⑤　甫：刚刚。

⑥　形像：指画像。

⑦　"红颜"二句：语出欧阳修《明妃曲》。胜人：美人。

⑧　生：语气助词，加重语气，如"硬生生"。此句谓昭君改换胡服。

⑨　则索：则要。

君画图模样。旧恩金勒短,新恨玉鞭长。本是对金殿鸳鸯,分飞翼怎承望①!

[云]您文武百官计议,怎生退了番兵,免明妃和番者。[唱]

【驻马听】　宰相每②商量,大国使还朝多赐赏。早是俺夫妻恓惶③,小家儿出外也摇装④。尚兀自⑤渭城衰柳助凄凉,共那灞桥流水添惆怅。偏您不断肠,想娘娘那一天愁都撮⑥在琵琶上。

[做下马科][与旦打悲科][驾云]左右慢慢唱者,我与明妃饯一杯酒。[唱]

【步步桥】　您将那一曲阳关⑦休轻放,俺咫尺如天样,慢慢的捧玉觞⑧。朕本意待尊⑨前捱些时光,且休问劣了宫商⑩,您则与我半句儿俄延⑪着唱。

[番使云]请娘娘早行,天色晚了也。[驾唱]

【落梅风】　可怜俺别离重,你好是归去的忙。寡人心先到他李陵台⑫上,回头儿却才魂梦里想,便休题贵人多忘。

[旦云]妾这一去,再何时得见陛下?把我汉家衣服都留下者。[诗

---

①　承望:想到。此句谓没想到会被拆分开。

②　每:们。

③　恓惶:忧郁不快。

④　摇装:或作遥装,是我国古代的一种风俗。远行者在离家前,选吉日出门,亲友送至江边,被送者上船一会儿又折回来,改日再正式启程。

⑤　兀自:还,仍然。

⑥　撮:弹瑟琶的指法。因王昭君善琵琶故云。

⑦　阳关:王维《送元二使安西》诗:"渭城朝雨浥轻尘,客舍青青柳色新。劝君更尽一杯酒,西出阳关无故人。"唐以后多为送别曲,因诗中有"阳关"二字,故称《阳关曲》或《阳关三叠》。

⑧　玉觞:玉制的杯。这里代指酒。

⑨　尊:即樽,酒杯。

⑩　劣了宫商:坏了宫商。五音为宫、商、角、徵、羽,这里用宫、商代指音乐。

⑪　俄延:延缓,耽搁。

⑫　李陵台:即李陵墓,又称望乡台。李陵是汉代名将,兵败后投降匈奴,心常念故土。

云]正是今日汉宫人,明朝胡地妾。忍着主衣裳,为人作春色![留衣服科][驾唱]

【殿前欢】 则甚么留下舞衣裳,被西风吹散旧时香。我委实①怕宫车再过青苔巷,猛到椒房②,那一会想菱花镜里妆,风流相,兜的③又横心上。看今日昭君出塞,几时似苏武④还乡?

[番使云]请娘娘行罢,臣等来多时了也。[驾云]罢罢罢!明妃你这一去,休怨朕躬也。[做别科,驾云]我那里是大汉皇帝![唱]

【雁儿落】 我做了别虞姬楚霸王⑤,全不见守玉关⑥征西将。那里取保亲的李左车⑦,送女客的萧丞相⑧?

[尚书云]陛下不必挂念。[驾唱]

【得胜令】 他去也不沙架海紫金梁⑨?枉养着那边庭上铁衣郎⑩。您也要左右人扶侍,俺可甚⑪糟糠妻下堂?您但提起刀枪,却早小鹿儿心头撞⑫。今日央及煞娘娘⑬,怎做的男儿当自强!

[尚书云]陛下,咱回朝去罢。[驾唱]

---

① 委实:确实,实在。

② 椒(jiāo):即花椒树,有香气,古人多以其种子和泥涂壁。椒房:多指后妃所住的宫室。

③ 兜的:陡然,突然。

④ 苏武:汉代苏武出使匈奴,被扣留,持节不屈,历尽艰辛,十九年后才归汉,受到朝廷褒奖。此句谓希望王昭君也能如苏武一样有朝一日归汉。

⑤ 别虞姬楚霸王:西楚霸王项羽在垓下被包围时,与其爱妾虞姬诀别。

⑥ 玉关:玉门关。古代常以玉门关以西为胡汉分别之地。

⑦ 李左车(jū):秦末汉初著名的谋士,曾向赵王歇、韩信等献计献策。

⑧ 送女客:古代婚俗,女子出嫁时,家中有一人陪送至夫家,此人称为送女客。萧丞相:即萧何,汉初的丞相。此两句谓大臣们无能,只会保亲、做送女客。

⑨ 架海紫金梁:元杂剧中常以"擎天白玉柱,架海紫金梁"比喻国家栋梁。此句谓哪里有架海紫金梁一类的人才呢?

⑩ 铁衣郎:指穿铠甲的战士。此句谓兵将无用。

⑪ 可甚:可堪,实际上就是不可堪(忍受)。古人常以"糟糠之妻不下堂"赞扬男子与妻子患难与共。这里是反用的说法,指让昭君和番并非自己愿意的。

⑫ 小鹿儿心头撞:比喻害怕(打仗)。

⑬ 央及:连累,拖累。娘娘:指王昭君。

【川拨棹】 怕不待放丝缰,咱可甚鞭敲金镫响①?你管燮理阴阳②,掌握朝纲,治国安邦,展土开疆。假若俺高皇,差你个梅香③,背井离乡,卧雪眠霜。若是他不恋恁春风画堂④,我便官封你一字王⑤。

[尚书云]陛下不必苦死留他,着他去了罢。[驾唱]

【七弟兄】 说甚么大王不当恋王嫱,兀良⑥,怎禁他临去也回头望!那堪这散风雪旌节影悠扬,动关山鼓角声悲壮。

【梅花酒】 呀!俺向着这迥野⑦悲凉,草已添黄,色早迎霜,犬褪得毛苍,人搠⑧起缨枪,马负着行装,车运着糇粮⑨,打猎起围场。他他他伤心辞汉主;我我我携手上河梁⑩。他部从入穷荒,我銮舆返咸阳。返咸阳,过宫墙;过宫墙,绕回廊;绕回廊,近椒房;近椒房,月昏黄;月昏黄,夜生凉;夜生凉,泣寒螀⑪;泣寒螀,绿纱窗;绿纱窗,不思量!

【收江南】 呀!不思量除是铁心肠!铁心肠也愁泪滴千

---

① 鞭敲金镫响:古人常用"鞭敲金镫响,人唱凯歌还"来形容得胜后的情景,这里反其意而用之,用来形容回宫时的情形。

② 燮理阴阳:调和阴阳,比喻治理国政。古代常用燮理阴阳比拟宰相的重要责任。

③ "假若"句:意思是像汉高祖刘邦那样艰苦奋斗。高皇,指汉高祖刘邦。梅香:元杂剧中对婢女的通称。

④ 春风画堂:比拟耽于安乐生活。

⑤ 一字王:指封号为一字的王爵,古代尊贵的亲王等才受此封号,一般以"秦、晋、齐、楚"四个封号最为尊贵。两个字的二字王则次一等,如长沙王、渤海王、成都王等。

⑥ 兀良:语气词,用于加强语气或指示方向,相当于"天哪"、"我的乖乖"之类。

⑦ 迥野:广阔的原野。

⑧ 搠(shuò):执。

⑨ 糇(hóu)粮:干粮。

⑩ 携手上河梁:语本《文选·李少卿与苏武诗》:"携手上河梁,游子暮何之。"表示分别。

⑪ 寒螀(jiāng):似蝉而小,青赤。

行。美人图今夜挂昭阳，我那里供养，便是我高烧银烛照红妆①。

[尚书云]陛下回銮罢，娘娘去远了也。[驾唱]

【鸳鸯煞】 我只索大臣行说一个推辞谎②，又则怕笔尖儿那火编修讲③。不见他花朵儿精神，怎趁④那草地里风光？唱道⑤伫立多时，徘徊半晌，猛听的塞雁南翔，呀呀的声嘹亮，却原来满目牛羊，是兀那⑥载离恨的毡车半坡里响。[下]

[番王引部落拥昭君上，云]今日汉朝不弃旧盟，将王昭君与俺番家和亲。我将昭君封为宁胡阏氏⑦，坐我正宫。两国息兵，多少是好。众将士，传下号令，大众起行，望北而去。[做行科][旦问云]这里甚地面了？[番使云]这是黑龙江，番汉交界去处；南边属汉家，北边属我番国。[旦云]大王，借一杯酒，望南浇奠，辞了汉家，长行去罢。[做奠酒科，云]汉朝皇帝，妾身今生已矣，尚待来生也。[做跳江科][番王惊救不及，叹科，云]嗨！可惜，可惜！昭君不肯入番，投江而死。罢罢罢！就葬在此江边，号为青冢者。我想来，人也死了，枉与汉朝结下这般仇隙，都是毛延寿那厮搬弄出来的。把都儿⑧，将毛延寿拿下，解送汉朝处治。我依旧与汉朝结和，永为甥舅⑨，却不是好？[诗云]则为他丹青画误了昭君，背汉主暗地私奔；将美人图又来哄我，要索取出塞和亲。岂知道投江而死，空落的一见消魂。似这等奸邪逆贼，留着他终是祸根。不如送他去汉朝哈喇⑩，依还的甥舅礼两国长存。[下]

——《元曲选》本《汉官秋》

---

① 高烧银烛照红妆：苏轼《海棠诗》有："只恐夜深花睡去，故烧高烛照红妆。"
② 只索：只要。行：们。推辞谎：指推辞的话。
③ 火：同"伙"。编修：掌管国史编修的官。
④ 趁：面对，面临。
⑤ 唱道：真正是，端的是。
⑥ 兀那：指示代词。犹"那，那个"。
⑦ 阏氏（yān zhī）：匈奴对皇后的称呼。
⑧ 把都儿：蒙古语的译音，意为勇士。
⑨ 永为甥舅：匈奴与汉和亲，以甥舅相称。
⑩ 哈喇：蒙古语的译音，意思是杀。

王实甫《西厢记》

近七百年来，高明《琵琶记》与王实甫《西厢记》可能是社会影响最大的两种戏曲作品。如果说《琵琶记》主要流行场上，其受众多是普通民众，那么《西厢记》就主要流行案头，其受众更多为知识阶层。曹雪芹在小说《红楼梦》中曾借贾宝玉赞扬道："真是好文章！你要看了，连饭也不想吃呢！"林黛玉看了，"只觉词句警人，余香满口"。据张人和先生的研究，王实甫《西厢记》现存明刊本一百一十种、清刊本七十种，这一统计可能仍不完整，但由此也可见《西厢记》在明清两代受欢迎的程度。

王实甫《西厢记》主要讲述的是书生张君瑞与前相国之女崔莺莺的爱情故事，其故事大概为：前朝崔相国夫人郑氏携女莺莺，送丈夫灵柩回故里安葬，暂住河中府普救寺。西洛人张君瑞赴京赶考，路经普救寺，游赏时与殿外玩耍的莺莺偶然相遇，一见钟情。张生借宿寺中，住进西厢房。张生得知莺莺每夜都到花园内烧香，因潜至花园墙角，吟诗传情，莺莺也和诗一首（以上第一本）。叛将孙飞虎听说莺莺貌美，兵围普救寺，逼迫莺莺为压寨夫人。崔夫人对众宣称，能退贼军者即将小姐许配。张生之友杜确时镇守蒲关，张生写信向杜确求救，长老派惠明和尚送信，三日后白马将军杜确率兵打退孙飞虎。在酬谢席上，崔夫人以莺莺已许配郑恒为由，让张生与崔莺莺结拜为兄妹。侍女红娘知张生心事，嘱张生趁莺莺夜晚花园烧香时弹琴，以便探知莺莺心意。夜晚张生弹琴表白相思之苦，莺莺听琴后大为动心（以上第二本）。张生与莺莺相见无由，因害相思病，红娘奉莺莺之命探视。张生托她送信给莺莺，莺莺回信约张生花园月下相会。夜晚，莺莺花园烧香，张生翻墙而入，莺莺假意大怒，责怪张生行为不合礼数。张生病情愈重，莺莺派红娘送药方，约张生晚间幽会（以上第三本）。莺莺如约与张生相会，私定终身。老夫人看出端倪，拷问红娘，得知崔、张私定终身事，不得已允诺婚事，但以崔家不招白衣女婿为由，催张生应试。崔、张长亭相别，彼此依依难舍。张生草桥店夜宿，梦见莺莺赶来草桥店，醒来不胜惆怅（以上第四本）。张生高中状元，写信向莺莺报喜。郑恒到普救寺，谎称张生已被卫尚书招为东床佳婿，崔夫人再次将小姐许给郑恒，并决定择吉日完婚。成亲之日，张生授河中府尹，重归蒲东，征西大元帅杜确也来祝贺。真相大白，郑恒无比羞愧，触树而亡，张生与莺莺终成眷属（以上第五本）。

《西厢记》讲述的崔、张故事源自唐人元稹（779—831）所撰传奇小说《莺莺传》。《莺莺传》则是一个始乱终弃的故事，最终故事的主人公莺莺"委身于人"，张生"亦有所娶"。《莺莺传》所述崔、张故事凄美动人，故后世流传甚广。北宋词人秦观（1049—1100）、毛滂（1056？—1124?）分别写有一首【调笑令】歌咏崔、张故事，赵令畤（1061—1134）则写有十首【商调·蝶恋花】。自词作内容看，其故事内容、趣味仍不脱《莺莺传》。但金董解元《西厢记诸宫调》则有很大变化，与《莺莺传》迥然不同。

《莺莺传》中，张生、莺莺或有意未明确交代其真实身份。陈寅恪（1890—1969）先生《元白诗笺证稿》的《读莺莺传》文认为"莺莺所出必非高门"，而张生实为元稹自身，元稹（张生）最终"舍弃寒女而别婚高门，当日社会所公认之正当行为也"，故当时人多赞许张为"善补过者"。而《西厢记诸宫调》

中,莺莺则为前相国之女,张生为一介寒儒,且增加了法本长老、法聪和尚、郑恒等人物。《西厢记诸宫调》长达八卷,王《西厢》的故事情节基本可以在董《西厢》中找到相对应的内容,故事最终结局是张生、莺莺美满团圆。所有这些都说明王《西厢》是直接受惠于董《西厢》。

当然,若从艺术成就而言,董《西厢》还是根本无法与王《西厢》相提并论的。王《西厢》的艺术成就首先表现在其文辞优美,婉丽动人。如其第四本第一折写莺莺让红娘传信简给张生,约夜间相会,张生阶前等候的数曲:

【仙吕·点绛唇】 伫立闲阶,夜深香霭横金界。萧洒书斋,闷杀读书客。

【混江龙】 彩云何在,月明如水浸楼台。僧归禅室,鸦噪庭槐。风弄竹声则道似金珮响,月移花影疑是玉人来。意悬悬业眼,急攘攘情怀,身心一片,无处安排;则索呆答孩倚定门儿待。越越的青鸾信杳,黄犬音乖。

(白)小生一日十二时,无一刻放下小姐,你那里知道呵!

【油葫芦】 情思昏昏眼倦开,单枕侧,梦魂飞入梦阳台。早知道无明无夜因他害,想当初"不如不遇倾城色"。人有过,必自责,勿惮改。我却待"贤贤易色"将心戒,怎禁他兜的上心来。

【天下乐】 我则索倚定门儿手托腮,好着我难猜:来也那不来?夫人行料应难离侧。望得人眼欲穿,想得人心越窄,多管是冤家不自在!

以上数曲主要描摹张生等待莺莺前来幽会时的焦虑不安、思绪纷飞,细腻传神地刻画出一位痴情而近疯魔的张解元！

其次，王《西厢》非常生动地描绘了张生、莺莺、红娘、老夫人等几位戏剧人物。唐传奇家撰写小说的兴趣实不在故事情节或人物，而主要借小说表现传奇家多方面的才能，所谓"史才、诗笔、议论"。元稹《莺莺传》小说，着力表现的实是莺莺的美貌和多才，写张生也主要写其多才，均看不出什么人物性格。董《西厢》中，张生、莺莺的人物性格略具规模，但红娘、老夫人则非常模糊，而王《西厢》中，张生之痴情以及因痴情而呆傻、而疯魔可谓呼之欲出，莺莺内心的火热与表面的"假惺惺"极易在戏剧中形成戏剧性，红娘的热情、伶俐以及时而对崔、张发出的冷言峻语（红娘未如崔、张那样沉溺于情，也未违背"礼"，故有明显的情感和道德优势）给人留下深刻印象，老夫人则因其刻板近"愚"而带有几分喜剧性效果。

再次，王《西厢》完整展现了张生、莺莺由彼此有情到终成眷属的曲折历程，这在中国古代爱情故事中几乎绝无仅有。王《西厢》写崔、张的爱情故事，自佛殿偶遇写起，而后是后花园墙角联吟，张生主动表白，莺莺稍有应和。再后是偶然性事件白马解围，从而为后来崔、张的恋爱提供一定的合法性。其后张生在红娘授意下，援琴传怀，莺莺隔墙听琴，崔、张爱情较之墙角联吟更进一步。其后张、崔借红娘传书递简，约花园私会，张生乘夜逾墙而来，莺莺突然变卦，正色责斥不合礼法——此为崔、张爱情的一大突转，也反映了莺莺内心"情"与"礼"之间的选择焦虑。尔后写张生害病日甚，莺莺以派红娘探病为由，送药方再约佳期，莺莺果然如期来会——至此，崔、张爱情总算有一结果。其后写老夫人拷问红娘、长亭分别、草桥惊梦、郑恒谎报等，都是在崔、张爱情之路上再增波折，但最终是"有情人终成眷属"。

郑振铎（1898—1958）先生在《文学大纲》中说："中国的

131

戏曲小说,写到两性的恋史,往往是两人一见便相爱,便誓定终身,从不写他们恋爱的经过与全心全意恋爱时的心理。《西厢》的大成功便在它的全部都是婉曲的细腻的在写张生与莺莺的恋爱心境的。似这等曲折的恋爱故事,除《西厢》外,中国无第二部。"除曹雪芹《红楼梦》等极少数作品外,应当说郑先生之论基本为实情。

以上我们介绍了有关王《西厢》的一些基本情况,但王《西厢》实际上还有很多问题尚存悬疑。最主要的是:王《西厢》作者为谁? 王《西厢》产生于何时?《西厢记》本来面貌如何?

传统的说法是《西厢记》作者为王实甫,1330 年成书的钟嗣成《录鬼簿》将王实甫列为"前辈已死名公才人有所编传奇行于世者",也就是说他与关汉卿、白朴、马致远等算是同辈人,《录鬼簿》在王实甫名下著录《西厢记》、《破窑记》、《丽春堂》、《于公高门》、《丝竹芙蓉亭》、《苏小卿月夜贩茶船》等十四种杂剧。这些杂剧中,《破窑记》、《丽春堂》两种现存,《韩彩云丝竹芙蓉亭》、《苏小卿月夜贩茶船》仅存佚曲数支。《西厢记》文笔优美,与《破窑记》、《丽春堂》等迥然有别,似难出于同一作家之手。这很令人怀疑《录鬼簿》在王实甫名下著录的《西厢记》并非我们今日读到的《西厢记》,因为元剧一剧存在"二本"的现象是很普遍的。

当然,笔者之所以有此猜度,最根本的原因是今本《西厢记》体制上很特别。按,元剧通例一本四折,如为旦本则正旦唱四套曲及楔子,如为末本则正末唱四套曲及楔子。而今本《西厢记》凡五本,其中第二本的楔子(惠明下书)实为完整套曲,这样《西厢记》凡五本二十一折。

另外,从旦本或末本的一般程式而言,王《西厢》除第三本为标准的旦本(红娘唱四套曲及楔子),其他各本均不合程式。第一本总体为末本戏,剧首的楔子却由"外"扮老夫人唱,"正末"扮张生唱第一、二、三套曲,第四套【双调·新水令】套,张生唱【新水令】、【驻马听】、【沉醉东风】、【雁儿落】、【得胜令】、【乔牌儿】、【甜水令】、【折桂令】等八曲,其后的【锦上花】及【幺篇】则由莺莺、红娘分唱,张生接着唱余下的【碧玉箫】、【鸳鸯煞】二曲。第二本,先是"正旦"扮莺莺唱第一套,再由惠明唱楔子(实为完整套曲),后由红娘唱第二套,最后是莺莺唱第三、四套。第四本,红娘唱楔子,张生唱第一套,红娘唱第二套,莺莺唱第三套,张生唱第四套。第五本,张生唱楔子,莺莺唱第一套,张生唱第二套,红娘唱第三套,张生唱第四套。

值得特别指出的是,元周德清《中原音韵》为规范北曲而作,共分十九韵部,这十九韵部中的监咸、廉纤两韵部今本《西厢记》未用(或因此两韵部均为闭口韵,且为窄韵),真文、尤侯、支思三韵部两次使用,其他各韵部均使用一次。北曲换套必换韵,《西厢记》二十一套曲使用了《中原音韵》十九韵部中的十七个韵部——《西厢记》的作者似乎在有意尝试遍用《中原音韵》各韵部,借以逞才显能!周德清为《中原音韵》作《后序》为元泰定甲子年(1324),这是否说明今本《西厢记》在《中原音韵》成书之后写成,也就是有可能完成于元末?今本《西厢记》的作者应为关汉卿、白朴等元曲家的后辈?

今本《西厢记》虽多不合元剧旦、末本的规矩,但其每一套曲一般一人主唱,且其用韵显然同于一般元剧。又,明人崔时佩、李日华、陆采等均按南戏、传奇的结构程式改编王《西厢》,世人一般称为"南西厢(记)",这样王《西厢》自然就变为"北西厢(记)"了。这样自王国维以来,今人多将王《西厢》归为"北(剧)",即"元杂剧"。

但王《西厢》显然是"南"、"北"杂糅。除我们以上提及的其不合一般元剧程式外,值得注意的是王《西厢》的宾白也很不同于元剧。元剧宾白大多粗鄙无文,与其曲辞的异彩纷呈恰成对照,笔者认为今本元剧曲辞多出自元剧作家,而宾白多出自杂剧艺人,而王《西厢》的曲、白相得益彰,显然出于同一作家。就此一点而言,其与《琵琶记》、《牡丹亭》等文人作品显然相近。现存王《西厢》明清近二百种刊本,很多刊本的脚色使用、分出(或折)及出目等也明显有"南"的烙印。也可能正因明人注意到王《西厢》中"南"的因素,所以晚明毛晋所编《六十种曲》收王《西厢》,而臧懋循《元曲选》一百种则不包括王《西厢》。所以,王《西厢》在中国戏曲史上,既是一朵奇葩,也是一种异类。

原典选读

王实甫《西厢记》第一本　张君瑞闹道场杂剧　第一折①

[正末扮张生骑马引仆人上，开②] 小生姓张名珙，字君瑞，本贯西洛人也，先人拜礼部尚书，不幸五旬之上，因病身亡。后一年丧母。小生书剑飘零，功名未遂，游于四方。即今贞元十七年③二月上旬，唐德宗即位，欲往上朝取应，路经河中府，过蒲关上。有一人姓杜名确，字君实，与小生同郡同学，当初为八拜之交。后弃文就武，遂得武举状元，官拜征西大元帅，统领十万大军，镇守着蒲关。小生就望哥哥一遭，却往京师求进。暗想小生萤窗雪案④，刮垢磨光⑤，学成满腹文章，尚在湖海飘零，何日得遂大志也呵！万金宝剑藏秋水⑥，满马春愁压绣鞍。

【仙吕·点绛唇】　游艺中原，脚跟无线如蓬转⑦。望眼连天，日近长安远⑧。

---

①　《西厢记》凡五本二十一折，第一本第一折叙张生游玩普救寺，与崔莺莺偶然相遇，遂一见钟情。本折套曲皆张生所唱，套曲前半写其胸怀志趣，套曲后半写其痴情风魔，皆跌宕多姿，富于才情。本折后为《南西厢记》改造称《游殿》，法聪和尚一变为主角。

②　开：即开场，自报家门。

③　贞元十七年：即 801 年。此处沿袭唐元稹《莺莺传》小说所载年月。

④　萤窗雪案：指刻苦读书。萤窗，传晋朝车胤家贫，买不起灯烛，夏夜捉萤火虫装在袋子里，照着读书。雪窗，传晋朝孙康家贫而好学，冬夜借着雪光照明读书。

⑤　刮垢磨光：韩愈《进学解》原句，意思是刮去污垢，磨出光泽，此处比喻读书勤奋，精益求精。

⑥　"万金"句：比喻怀才不遇，如价值万金的宝剑沉埋水底。

⑦　蓬转：蓬草枝叶相属，团圆在地，遇风即转，故称转蓬，亦称飞蓬。古人常以飞蓬、转蓬、飘蓬喻飘泊。

⑧　日近长安远：《晋书·明帝纪》载，明帝幼而颖慧，元帝很宠爱，常抱坐膝前。一日长安使者来，元帝问明帝："你说太阳和长安哪个近？"明帝对曰："长安近，从来没有听说有人从日边来。"元帝甚是惊异。第二天宴请群臣，又问他。回答却是："太阳近。"元帝惊问："为什么和以前说的不一样？"明帝对曰："举头可见日，不见长安。"后世多以"日近长安远"指怀才不遇。

【混江龙】　向《诗》《书》经传，蠹鱼①似不出费钻研。将棘围②守暖，把铁砚磨穿。投至得云路鹏程九万里③，先受了雪窗萤火二十年。才高难入俗人机④，时乖不遂男儿愿。空雕虫篆刻⑤，缀断简残编⑥。

行路之间，早到蒲津。这黄河有九曲，此正古河内之地，你看好形势也呵！

【油葫芦】　九曲风涛何处显，则除是此地偏⑦。这河带齐梁、分秦晋、隘⑧幽燕。雪浪拍长空，天际秋云卷。竹索缆浮桥，水上苍龙偃⑨。东西溃⑩九州，南北串百川。归舟紧不紧⑪如何见？却便似弩箭乍离弦。

【天下乐】　只疑是银河落九天⑫；渊泉，云外悬，入东洋不离此径穿。滋洛阳千种花⑬，润梁园⑭万顷田，也曾泛浮槎到日月边⑮。

---

①　蠹鱼：一种小虫，常蛀蚀衣服书籍。此句及后两句皆意谓刻苦攻读。
②　棘围：指科举考试的考场。古代以荆棘围考场，以防止士子传递夹带之弊，故称。
③　投至得：等到。云路鹏程九万里，比喻功成名就。
④　才高难入俗人机：意谓才气极高很难投合一般人。
⑤　雕虫篆刻：指用心撰写文章。本自扬雄《法言·吾子》："或问：'吾子少而好赋？'曰：'然，童子雕虫篆刻。'"
⑥　缀断简残编：本指搜集各类不完整的书籍，此处指撰写文章。
⑦　"九曲"二句：意谓黄河九曲的气势，只有偏僻的此地能得见。
⑧　隘：隔绝。
⑨　偃：卧、伏。
⑩　溃：水破堤而出，这里指流经。
⑪　紧不紧：紧，急。"不"是衬字，无义。
⑫　疑是银河落九天：出自李白《望庐山瀑布》诗。
⑬　洛阳千种花：古代洛阳以多名花出名。
⑭　梁园：西汉梁孝王所筑名园，可供游猎、娱乐。
⑮　槎(chá)：木筏。"浮槎到日月边"句：西汉人张骞曾为使者出使西域，后世因多传说。《荆楚岁时记》载，张骞曾乘槎经月，至牛女宿，见城郭，"室内有一女织，又见一丈夫牵牛饮河"。织女赠其机石。张骞返回询问蜀人严君平，君平曰："某年某月客星犯牛女。"

话说间早到城中。这里一座店儿，琴童接下马者！店小二哥那里？[小二上，云]自家是这状元店里小二哥。官人要下呵，俺这里有干净店房。[末云]头房里下，先撒和①那马者！小二哥你来，我问你：这里有甚么闲散心处？名山胜境，福地宝坊皆可。[小二云]俺这里有一座寺，名曰普救寺，是则天皇后香火院，盖造非俗：琉璃殿相近青霄，舍利塔②直侵云汉。南来北往，三教九流，过者无不瞻仰；则除那里可以君子游玩。[末云]琴童料持下晌午饭！俺到那里走一遭便回来也。[仆云]安排下饭，撒和了马，等哥哥回家。[下]

[法聪上]小僧法聪，是这普救寺法本长老座下弟子。今日师父赴斋去了，着我在寺中，但有探长老的，便记着，待师父回来报知。山门下立地③，看有甚么人来。[末上云]却早来到也。[见聪了，聪问云]客官从何来？[末云]小生西洛至此，闻上刹幽雅清爽，一来瞻仰佛像，二来拜谒长老。敢问长老在么？[聪云]俺师父不在寺中，贫僧弟子法聪的便是，请先生方丈④拜茶。[末云]既然长老不在呵，不必吃茶；敢烦和尚相引，瞻仰一遭，幸甚！[聪云]小僧取钥匙，开了佛殿、钟楼、塔院、罗汉堂、香积厨⑤，盘桓⑥一会，师父敢待回来。[做看科][末云]是盖造得好也呵！

【村里迓鼓】 随喜⑦了上方佛殿，早来到下方僧院。行过厨房近西，法堂北钟楼前面。游了洞房⑧，登了宝塔，将回廊绕遍。数了罗汉，参了菩萨，拜了圣贤⑨。[莺莺引红娘拈花枝上，云]红娘，俺去佛殿上耍去来。[末做见科]呀！正撞着五百年前风流

---

① 撒和：给牲口喂草料。

② 舍利塔：指佛塔。释迦牟尼佛卒后，弟子阿难等焚其身，有骨子如五色珠，光莹坚固，名曰舍利子，因筑塔藏之。后世遂称佛塔为舍利塔。

③ 立地：立着。地，助词。

④ 方丈：佛寺主持和尚的住处曰方丈。

⑤ 香积厨：指佛寺的厨房。

⑥ 盘桓：徘徊，逗留。

⑦ 随喜：佛家语，谓见到他人行善而生欢喜之意。欢喜之意也可随瞻拜佛像而生，故又用以称游谒寺院。

⑧ 洞房：深邃的内室。

⑨ 圣贤：这里指所供奉的佛。

业冤①。

【元和令】 颠不剌②的见了万千,似这般可喜娘的庞儿罕曾见③。则着人眼花撩乱口难言,魂灵儿飞在半天。他那里尽人调戏軃着香肩④,只将花笑拈。

【上马娇】 这的是兜率宫⑤,休猜做了离恨天⑥。呀,谁想着寺里遇神仙!我见他宜嗔宜喜春风面,偏宜贴翠花钿⑦。

【胜葫芦】 则见他宫样眉儿新月偃,斜侵入鬓云边。[旦云]红娘,你觑:寂寂僧房人不到,满阶苔衬落花红。[末云]我死也! 未语人前先腼腆,樱桃红绽⑧,玉粳⑨白露,半晌恰方言。

【幺篇】 恰便似呖呖莺声花外啭,行一步可人怜。解舞腰肢娇又软,千般袅娜,万般旖旎⑩,似垂柳晚风前。

[红云]那壁有人,咱家去来。[旦回顾觑末,下][末云]和尚,恰怎么观音现来?[聪云]休胡说,这是河中开府崔相国的小姐。[末云]世间有这等女子,岂非天姿国色乎? 休说那模样儿,则那一对小脚儿,价值百镒⑪之金。[聪云]偌远地⑫,他在那边,你在这边,系着长裙儿,你便怎知他脚儿?[末云]法聪,来,来,来,你问我怎便知,你觑:

---

① 业冤:犹冤家,爱极之反语。世俗多以为人世姻缘五百年前注定,故云五百年前风流业冤。
② 颠:风流、放浪之意。不剌:语助词,无实际义。
③ 可喜:可爱。庞儿:即脸庞儿。
④ 调戏:玩耍。軃:垂下。
⑤ 兜率宫:佛教三十三天中的一天,弥勒菩萨在此说法。《阿含经》:"须弥山半,四万二千由旬,有四天王天。须弥山顶为帝释天,上一倍为夜摩天,上为兜率天。"
⑥ 离恨天:比喻男女有情而不得见,故多离别相思之苦。
⑦ 花钿:用金翠珠宝制成的花形首饰。
⑧ 樱桃:比喻女子口之红润。白居易诗:"樱桃樊素口,杨柳小蛮腰。"绽:开。
⑨ 玉粳:比喻细白的牙齿。
⑩ 旖旎:旌旗从风飘扬貌。这里指腰肢婀娜、娇柔。
⑪ 镒(yì):古代的重量单位,二十两为一镒。一说二十四两。
⑫ 偌(ruò)远地:这样远、那样远。

【后庭花】　若不是衬残红芳径软，怎显得步香尘底样儿浅①。且休题眼角儿留情处，则这脚踪儿将心事传。慢俄延②，投至到栊门儿前面，刚那③了一步远。刚刚的打个照面，风魔④了张解元。似神仙归洞天，空余下杨柳烟，只闻得鸟雀喧。

【柳叶儿】　呀，门掩着梨花深院，粉墙儿高似青天。恨天，天不与人行方便，好着我难消遣，端的是怎留连。小姐呵，则被你兀的不引了人意马心猿？⑤

[聪云]休惹事，河中开府的小姐去远了也。[末唱]

【寄生草】　兰麝香仍在，佩环声渐远。东风摇曳垂杨线，游丝牵惹桃花片，珠帘掩映芙蓉面。你道是河中开府相公家，我道是南海水月观音⑥现。

"十年不识君王面，始信婵娟解误人。"小生便不往京师去应举也罢。[觑聪云]敢烦和尚对长老说知，有僧房借半间，早晚温习经史，胜如旅邸内冗杂，房金依例拜纳，小生明日自来也。

【赚煞】　饿眼望将穿，馋口涎空咽，空着我透骨髓相思病染，怎当他临去秋波那一转！休道是小生，便是铁石人也意惹情牵。近庭轩，花柳争妍，日午当庭塔影圆。春光在眼前，争奈玉人不见，将一座梵王宫疑是武陵源⑦。[下]

——明凌濛初刻本《西厢记》

---

①　步香尘：相传晋代石崇曾经将沉水香做成屑，洒在象牙床上，让宠爱的女子在上面走。底样儿：指脚印。

②　俄延：延缓，耽搁。

③　那：同"挪"，移动。

④　风魔：痴狂。

⑤　兀的：如此，这样。意马心猿：比喻心思纷乱，动摇不定。

⑥　水月观音：佛经谓观音菩萨有三十三个不同形象的法身，观世音菩萨观水中月影的应化身称水月观音。此句是风魔的张生将美貌的莺莺比拟为水月观音。

⑦　梵王宫：本指大梵天王的宫殿，此处泛指佛寺。梵王，即大梵天王，是佛教三界中色界诸天的第三天大梵天之王。武陵源：传说汉代刘晨、阮肇在天台山桃花源遇见仙女，并被留结婚。戏曲小说常将桃花源与陶渊明《桃花源记》所载武陵源混淆。

王实甫《西厢记》第四本　草桥店梦莺莺杂剧　第三折①

[夫人、长老上,云]今日送张生赴京,十里长亭,安排下筵席。我和长老先行,不见张生、小姐来到。[旦、末、红同上][旦云]今日送张生上朝取应,早是离人伤感,况值那暮秋天气,好烦恼人也呵! 悲欢聚散一杯酒,南北东西万里程。[唱]

【正宫·端正好】　碧云天,黄花地,西风紧,北雁南飞。晓来谁染霜林醉? 总是离人泪。

【滚绣球】　恨相见得迟,怨归去得疾。柳丝长玉骢难系②,恨不倩疏林挂住斜晖。马儿迍迍的行③,车儿快快的随,却告了相思回避,破题儿又早别离④。听得一声去也松了金钏,遥望见十里长亭减了玉肌⑤。此恨谁知?

[红云]姐姐今日怎么不打扮? [旦云]你那知我的心里呵? [唱]

【叨叨令】　见安排着车儿、马儿,不由人熬熬煎煎的气;有甚么心情花儿、靥⑥儿,打扮得娇娇滴滴的媚;准备着被儿、枕儿,则索昏昏沉沉的睡;从今后衫儿、袖儿,都揾做重重叠叠的泪。兀的不闷杀人也么哥! 兀的不闷杀人也么哥! 久已后书儿、信儿,索与我凄凄惶惶的寄⑦。

---

①　《西厢记》凡五本二十一折,第四本第三折叙张生不得已进京应试,与莺莺在长亭分别,彼此依依难舍。本折套曲皆莺莺所唱,套曲情景相融,将莺莺别离之情渲染得淋漓尽致,极富曲味,在《西厢记》二十一折套曲中最为杰出。

②　玉骢:毛色青白相间的马。此句谓依依别情无法止住行程。

③　迍(zhūn)迍:缓慢的样子。张生骑马在前,莺莺坐车在后,因不愿分别故有"马儿迍迍的行"。

④　"却告了"二句:意思是刚结束了相思之苦,又开始了离别之愁。破题,唐宋时应举诗赋和经义的起首处,须用几句话说破题目要义,叫破题。此处"破题儿"意谓开始。

⑤　"松了金钏"、"减了玉肌":皆极言离别之恨,富于夸张,颇有曲的诙谐意味。

⑥　靥(yè):古代妇女面部的一种妆饰。

⑦　索:要,当。凄凄惶惶:急忙、迫切,这里指及时。

[做到、见夫人科][夫人云]张生和长老坐，小姐这边坐，红娘将酒来。张生，你向前来，是自家亲眷，不要回避。俺今日将莺莺与你，到京师休辱没①了俺孩儿，挣揣②一个状元回来者。[末云]小生托夫人余荫③，凭着胸中之才，视官如拾芥耳。[洁④云]夫人主见不差，张生不是落后的人。[把酒了，坐][旦长吁科][唱]

【脱布衫】 下西风黄叶纷飞，染寒烟衰草萋迷。酒席上斜签着坐的⑤，蹙愁眉死临侵地⑥。

【小梁州】 我见他阁泪汪汪不敢垂，恐怕人知。猛然见了把头低，长吁气，推整素罗衣。

【幺篇】 虽然久后成佳配，奈时间⑦怎不悲啼。意似痴，心如醉，昨宵今日，清减了小腰围。

[夫人云]小姐把盏者！[红递酒，旦把盏长吁科云]请吃酒！[唱]

【上小楼】 合欢未已，离愁相继。想着俺前暮私情，昨夜成亲，今日别离。我谂知⑧这几日相思滋味，却原来比别离情更增十倍。

【幺篇】 年少呵轻远别，情薄呵易弃掷。全不想腿儿相挨，脸儿相偎，手儿相携。你与俺崔相国做女婿，妻荣夫贵，但得一个并头莲⑨，煞强如⑩状元及第。

[夫人云]红娘把盏者！[红把酒科][旦唱]

【满庭芳】 供食太急，须臾对面，顷刻别离。若不是酒席

---

① 辱没：玷辱，这里指落第后与莺莺相国小姐的身份不相称。
② 挣揣：努力争取。
③ 余荫：剩余的恩泽。
④ 洁：元代民间称和尚为洁郎，简称"洁"，这里指本和尚。
⑤ 斜签着坐的：指张生斜坐。古代晚辈在长者面前斜侧着身子坐，以示恭敬。签，贯穿，刺、插。此处喻直坐。
⑥ 临侵：词尾，表示程度。死临侵地：犹言死板板地。
⑦ 奈时间：无奈眼前这时候。
⑧ 谂（shěn）知：知悉，知道。
⑨ 并头莲：即并蒂莲，喻相爱的夫妻。
⑩ 煞强如：远远胜过。

间子母每当回避,有心待与他举案齐眉。虽然是厮守得一时半刻,也合着俺夫妻每共桌而食。眼底空留意①,寻思起就里②,险化做望夫石。

[红云]姐姐不曾吃早饭,饮一口儿汤水。[旦云]红娘,甚么汤水咽得下!

【快活三】 将来的酒共食,尝着似土和泥,假若便是土和泥,也有些土气息,泥滋味。

【朝天子】 煖溶溶玉醅③,白泠泠似水,多半是相思泪。眼面前茶饭怕不待要吃,恨塞满愁肠胃。蜗角虚名,蝇头微利,拆鸳鸯在两下里。一个这壁,一个那壁,一递一声④长吁气。

[夫人云]辆起车儿⑤!俺先回去,小姐随后和红娘来。[下][末辞洁科][洁云]此一行别无话儿,贫僧准备买登科录看⑥,做亲的茶饭少不得贫僧。先生在意⑦,鞍马上保重者!从今经忏无心礼,专听春雷第一声⑧。[下][旦唱]

【四边静】 霎时间杯盘狼藉,车儿投东,马儿向西,两意徘徊,落日山横翠。知他今宵宿在那里?有梦也难寻觅。

[旦云]张生,此一行得官不得官,疾便回来。[末云]小生这一去白夺一个状元,正是"青霄有路终须到,金榜无名誓不归"。[旦云]君行别无所谓,口占一绝,为君送行:弃掷今何在,当时且自亲。还将旧来意,怜取眼前人⑨。[末云]小姐之意差矣,张珙更敢怜谁?谨赓⑩一绝,以剖寸心:人

---

① "眼底"句:只能用眼神来传达心意。

② 就里:内情,底细。

③ 煖:同"暖"。玉醅(pēi):美酒。

④ 一递一声:一人一声,连续不断。

⑤ 辆:犹"驾",谓准备好车轿。

⑥ 登科录:古代科举考试的录取名册。

⑦ 在意:小心,注意。

⑧ 忏:僧人为人表示悔过所作的礼祷。此两句谓从此无心佛事,只等待张生及第的喜报。

⑨ "弃掷"四句:元稹《莺莺传》里张生另娶、莺莺别嫁之后,莺莺谢绝张生见面时所做的诗,这里莺莺要张生不要移情别恋。

⑩ 赓:继续,连续。

生长远别，孰与最关亲？不遇知音者，谁怜长叹人？［旦唱］

【耍孩儿】 淋漓襟袖啼红泪，比司马青衫更湿①。伯劳②东去燕西飞，未登程先问归期。虽然眼底人千里，且尽生前酒一杯。未饮心先醉③，眼中流血，心里成灰。

【五煞】 到京师服水土，趁程途④节饮食，顺时自保揣身体⑤。荒村雨露宜眠早，野店风霜要起迟！鞍马秋风里，最难调护，最要扶持⑥。

【四煞】 这忧愁诉与谁？相思只自知，老天不管人憔悴。泪添九曲黄河溢，恨压三峰华岳低⑦。到晚来闷把西楼倚，见了些夕阳古道，衰柳长堤。

【三煞】 笑吟吟一处来，哭啼啼独自归。归家若到罗帏里，昨宵个绣衾香暖留春住，今夜个翠被生寒有梦知。留恋你别无意，见据鞍上马，阁不住⑧泪眼愁眉。

［末云］有甚言语嘱咐小生咱？［旦唱］

【二煞】 你休忧文齐福不齐⑨，我则怕你停妻再娶妻⑩。休

---

① 比司马青衫湿：本自白居易《琵琶行》诗："座中泣下谁最多？江州司马青衫湿。"

② 伯劳：一种鸟，夏至始鸣。古乐府《东飞伯劳歌》有："东飞伯劳西飞燕，黄姑织女时相见。"后借指离别的亲人或朋友。

③ 未饮心先醉：刘禹锡《酬令狐相公杏园花下饮有怀见寄》中的原句。

④ 趁程途：赶路。

⑤ "顺时"句：意谓顺应时节变化、估量着自己的身体状况保重身体。揣，估量，揣度。

⑥ 扶持：服侍，照顾。

⑦ "泪添"二句：以夸张笔法写泪水之多，使黄河满溢泛滥；愁恨之重，压低了西岳华山的三座高峰。九曲黄河，黄河在积石山到龙门一段多弯曲，故称"九曲黄河"。华岳三峰，指西岳华山的三座高峰莲花峰、毛女峰、松桧峰。

⑧ 阁不住：谓不能久置、久停，很快就落下。

⑨ 文齐福不齐：宋元时成语，意思是文才虽好，运气却不好。

⑩ 停妻再娶妻：宋元时成语，意思是抛弃前妻另外再娶。

要一春鱼雁无消息①！我这里青鸾②有信频须寄,你却休"金榜无名誓不归"。此一节君须记,若见了那异乡花草③,再休似此处栖迟④。

[末云]再谁似小姐？小生又生此念？[旦唱]

【一煞】 青山隔送行,疏林不做美,淡烟暮霭相遮蔽。夕阳古道无人语,禾黍秋风听马嘶。我为甚么懒上车儿内,来时甚急,去后何迟？

[红云]夫人去好一会,姐姐,咱家去![旦唱]

【收尾】 四围山色中,一鞭残照里。遍人间烦恼填胸臆,量这些大小车儿⑤如何载得起？

[旦、红下][末云]仆童赶早行一程儿,早寻个宿处。泪随流水急,愁逐野云飞。[下]

——明凌濛初刻本《西厢记》

---

① 一春鱼雁无消息:出自秦观《鹧鸪天》词。

② 青鸾:传说能报信的鸟。传说汉武帝时,西王母降临,先派青鸾来报信,后世遂以青鸾为信使的代称。

③ 花草:比喻女子。

④ 栖迟:停息、居留。

⑤ 大小车儿:实指小车儿。

古代戏曲类别之三：“花部戏”

　　清中叶时，传奇、杂剧作为有别于诗、词的一体文字，仍陆续有新作问世，但多留为案头，极少登诸场上。场上搬演的多是折子戏，而这些折子戏多来自“南洪北孔”之前的传奇、杂剧。各地民间戏剧——时人贬称为“花部”，则应运而生，蓬勃发展。“花部”乃与“雅部”相对而言，二小戏、三小戏以及使用生、旦、净、末、丑的大戏皆可称花部，其本身戏剧结构不定，但“名角班”的出现使得其与此前戏剧迥然不同。

“花部戏”崛起的历史背景

　　中国古典戏剧自十八世纪中叶以来，最突出的现象之一便是“花部戏”的兴起。原本活跃于中国农村的各种“花部戏”此后争相进入城市，从而使得戏曲在整个中国民众日常文化生活中的地位愈加重要。故“花部”的兴起，对近二百余年的戏曲史而言尤具有特殊的意义。

　　“花部戏”最早为文人记述时，乃有明显的贬义色彩。清乾隆时扬州人李斗所撰《扬州画舫录》有云：

　　　　两淮盐务，例蓄花、雅两部以备大戏。雅部即昆山腔，花部为京腔、秦腔、弋阳腔、梆子腔、罗罗腔、二簧调，统谓之“乱弹”。

这就是说，"雅部"即指用昆山腔演唱的戏，而用其他地方性腔调演唱的概称"花部"或"乱弹"。众所周知，与弋阳、余姚、海盐等地方性腔调一样，明中叶时的昆山腔亦本属民间，"止行于吴中"，唯自明嘉靖以后，因其颇得社会上层人士的青睐，文人雅士亲为之制曲（传奇）、参与其演唱，昆腔演唱其始本用（吴地）方言土语，后则用通语雅言，故昆腔戏最终成为主流社会认可的戏剧——"雅部"。雅者，正也。昆腔，官腔也，是为正声。而"花部"戏皆以方言入唱，故不得其正，为"花"、为"乱弹"。中国方言之多难以尽数，所以"花部"本不应限于李斗《扬州画舫录》列举的"京腔"、"秦腔"、"弋阳腔"、"梆子腔"、"罗罗腔"、"二簧调"，凡非以通语雅言演唱的皆可谓之"花部"或"乱弹"。由于"花部"戏都是以方言入唱，势必局限于一隅，很难通行四方。从现存史料看，清乾隆以前，各种花部戏主要流行于广大农村和一些中小城镇，极少能进入郡府一级的城市，至多是在大城市的城外活动，驻城的多是"打官腔"的昆腔班。如李斗《扬州画舫录》记述扬州花部的情况时说：

> 郡城花部，皆系土人，谓之本地乱弹，此土班也。至城外邵伯、宜陵、马家桥、僧道桥、月来集、陈家集、人自集成班，戏文亦间用元人百种，而音节服饰极俚，谓之草台戏。此又土班之甚者也。若郡城演唱，皆重昆腔，谓之堂戏。

李绿园乾隆四十二年（1777）完成的小说《歧路灯》，其故事、人物虽属虚构，但对当时社会风习的反映却大致可信，小说说到开封的"花部"、"雅部"云：

这门上堂官,便与宣传官文职、巡绰官武弁,商度叫戏一事。先数了驻省城的几个苏昆班子——福庆班、玉绣班、庆和班、萃锦班。说:"唱的虽好,贴旦也罢了,只那玉绣班正旦,年纪嫌大些。"又数陇西梆子班、山东过来弦子戏、黄河以北的卷戏、山西泽州锣戏、本地土腔大笛嗡、小唢呐、郎头腔、梆罗卷,觉俱伺候不的上人。

但乾隆中叶以后,"花部"不但流行于农村,而且逐渐进入都市,从而得到更大的发展。其根本原因则是乾隆中叶以后中国社会经济、文化等各方面发生的重要转变以及由此引起的整个社会结构的重新组合和调整,而花部正是这一社会变动中的产物。

满人入关后,经康熙、雍正、乾隆三朝百余年的经营,中国社会经济、文化等各方面均有极大发展,出现所谓"康乾盛世"。康熙十七年(1678)"三藩之乱"平定时中国人口约为1.6亿,至乾隆四十四年(1779)增至2.75亿。乾隆时中国工商业发展的规模已超过晚明,在运河沿线、东南沿海及交通便利的江河口都产生了许多全国性商业都市,清中叶时的北京、南京、苏州、杭州、扬州等城市人口都已超过50万,天津、临清、济宁、镇江、汉口等城市人口也都超过20万。人口的迅速增长和经济的持久繁荣,助长了奢华风气的流行。在江南、华北等经济发达地区,特别是商业生活和消遣娱乐都较集中的都市,挥霍、奢侈之风更盛,当时人多为之兴叹。

都市中发达的商业生活和消遣娱乐业,也提供了较多的就业机会,这对生计艰难的农村人也有较大的吸引力。在传统中国社会中,各种名目的筵席极多,凡遇重要仪式,无不有"宴",逢"宴"也无不有"乐"。但自清初以来,朝廷三令五申禁止外官畜养优伶,故明中叶以来的家乐豢养之风渐次消歇,官绅逢宴多感不便。作为补偿的是,作为城市商业经济发展的自然结果,自康熙年间始北京、苏州、沈阳等地先后出现了一些商业性戏馆,且日见繁荣。这些戏馆最初都依附于茶馆、酒楼或饭庄,但随着时间的推移,"戏"的分量渐重,茶、酒、饭则退居次要的地位。这些营业性戏馆最初多设在城外,随着时间的推移,也逐渐向城中移靠,以便利那些大多居住在内城的达官贵人看戏。顾公燮《消夏闲记》"抚藩禁烧香演剧"条说到苏州戏馆时谓:

> 治国之道,第一务在安顿穷人。昔陈文恭(宏谋)抚吴,禁妇女之入寺烧香,三春游屐寥寥,舆夫、舟子、肩挑之辈,无以谋生,物议哗然,由是驰禁。胡公(文伯)为苏藩,禁开戏馆,怨声载道。金阊商贾云集,宴会无时,戏馆数十处,每日演剧,养活小民不下数万人。

在顾公燮看来,戏馆竟有"安顿穷人"之功,不宜禁止。"养活小民不下数万人"的说法虽或有夸张,但戏馆生意甚火当属事实。

在大都市有常年开设的戏馆,在商业贸易集中的城镇,也有许多临时搭建的"戏屋"。康熙五十二年(1713),朝鲜使节金昌业从辽宁出发,经山海关到北京,在记录沿路状况的燕行日记中,便有商业性"戏屋"的记载:

> 凡州府、村镇、市坊繁盛处,皆有戏屋。而其屋处皆临时作箪屋。设戏多至十余日,少或数日而罢。又转之他。所至男女奔波,或自十里外来观。观者皆施钱财,费亦不赀。(金昌业《老稼斋燕行日记》)

乾隆三十一年（1766）朝鲜使节洪大容在河北玉田也看过"戏屋"类的演出：

> 东归玉田县，见街上设箪屋张戏。乃与银数两，拈
> 戏目中《快活林》以试之。乃《水浒传》武松醉打蒋门神
> 事也。此本与小说小异，或谓戏场之用，别有演本也。
> （洪大容《燕行日记》）

洪大容在玉田观看的《快活林》多应为花部戏。值得说明的是，玉田隶属直隶遵化州，位于今河北省东北部，前金昌业曾提及的处处可见的"戏屋"也应在遵化州或附近的顺天府（北部）、永平府或锦州府。这些地区较其他地方来说在整个清代并不算经济发达地区（顺天府为京师所在地，故稍特别），但当地"戏屋"却如此普遍，如果我们由此推论，认为当时华北、东南各省商业经济较发达的城镇可能有很多"戏屋"类的演出，当不为过。

清初以来都市、城镇中出现的戏馆、戏屋，作为货币经济发展的自然结果，对促成花部的崛起具有重要意义。在这种商业性戏馆、戏屋出现之前，中国戏剧的演出大都是非商业性的。其演出场所主要有两大类：一为乡间之庙台，一为贵人之厅堂。乡间庙台演戏多是乡民为酬神祈福或祭祖驱邪而举行，厅堂演出则多是士夫缙绅娱宾宴客或婚丧庆祝时所用。前者一般是向戏班提前约定戏目，后者一般是主客当场点戏。在这两种情况下，戏班在戏目选择方面都没有多少主动性，都是遵命献演。特别是厅堂演出，皆重昆腔。若非如此，则显得主人礼数不周，招致物议。商业性戏馆、戏屋出现后，戏馆老板或戏班都要考虑观众口味，以便能提高上座率，所以在戏目选择方面有较大的主动性。虽然观众来自社会

各个阶层,但毕竟下层市井小民居多,故在考虑"雅俗共赏"时,往往会迁就普通观众的趣味,偏重花部。

清中叶以后,不断恶化的经济状况以及由此引发的巨大的社会动荡、灾害,太平天国起义、捻军起义、回民暴乱和光绪初年的大旱灾等,使得无数农民再也不能像过去一样安天乐命,他们不得不为其生存另谋他路,"四民奔走下贱"(龚自珍《西域置行省议》)。在这种情况下,消费和休闲娱乐高度集中的都市以及东南、华北等经济发达地区对他们无疑有很大的吸引力。鸦片战争以后,随着西方科技的引进,中国水、陆交通水平也有明显提高,这也便利了流动人口较大空间的迁移。由于花部伶人各操其方言,故都有明显的地域性局限,但为势所迫,不得不带上简陋的行头,闯荡江湖,四海为生。这样我们看到的历史现象便是,原本隐于地下、默默无闻的各种花部纷纷涌出地表,东南、华北等地区的都市或稍有规模的城镇,都可以闻听到"南腔北调"、"四方之乐"。由此形成花部诸腔的大交汇,这将对花部进一步的发展产生重要影响。

自乾隆末期到卢沟桥事变(1790—1937),这是中国国家经济日趋崩溃、国民生活日益恶化的历史时期,此后中华民族又遭遇更深重的凌辱和灾难。但这一时期也恰恰是花部最茁壮成长的一段时期,当我们将花部的成长、壮大与民族的灾难、屈辱联系在一起时,不能不浩然长叹!

作为历史事件的"徽班进京"

如前所述，"花部"戏或民间乱弹戏的崛起为乾隆中叶以来中国戏曲史演进最突出的现象。各地被称为"花部"或"乱弹"的民间戏曲相继由落后的农村进入商业发达的大中城市，其中最值得关注的历史事件似乎当推"徽班进京"。人们在追溯"京剧"的历史源头时，"徽班进京"更被追认为标志性事件。那么，如何看待"徽班进京"这一历史事件呢？

首先，我们看一下"徽班进京"的相关记载。江苏仪征人李斗（1749—1817）乾隆六十年（1795）成书的《扬州画舫录》有：

> 自四川魏长生以秦腔入京师，色艺盖于宜庆、萃庆、集庆之上，于是京腔效之，京、秦不分。迨长生还四川，高朗亭入京师，以安庆花部合京、秦两腔，名其班曰三庆。

高朗亭率三庆班入京事，《扬州画舫录》此节是最早的记述。稍后则是《〈批本随园诗话〉批语》的一段记述：

> 《燕兰小谱》作于乾隆三四十年间。迨至五十五年，举行万寿，浙江盐务承办皇会，先大人命带三庆班入京。自此继来者，又有四喜、启秀、霓翠、和春、春台等班。各班小旦不下百人，大半见诸士夫歌咏。

邓之诚先生认为,《〈批本随园诗话〉批语》乃乾隆间闽浙总督伍拉纳(? —1795)之子舒仲山所作,故其记述当较可靠,舒仲山也说到三庆班入京事,且明确说到因乾隆五十五年(1790)举行庆寿,浙江盐务承办皇会,因而有三庆班入京事。

值得注意的是,以上两种记述都未明确使用"徽班"。笔者所见"徽班"一词最早见于嘉庆十四年(1809)《草珠一串》咏"市井"的竹枝词:

> 徽班老板鬻龙阳,傅粉熏香坐客傍。多少冤家冤到底,为伊争得一身疮。

清中叶后,北京官吏富商蓄养相公成风,戏班旦角幼伶多陪酒侍客,出卖色相,人称"相公"。"徽班老板鬻龙阳"句正是说当时一些徽班老戏子买童子调教为相公的风气。

"四大徽班"的说法似首见于福建建宁人张际亮(1799—1843)道光八年(1828)成书的《金台残泪记》:

> 京师梨园乐伎,盖十数部矣。昔推四喜、三庆、春台、和春,所谓四大徽班焉。余以丙戌(1826)始至京师,春台、三庆二部为盛。

广东嘉应人杨懋建道光十七年(1837)《辛壬癸甲录》也明确提到"徽班":

> 余自壬辰入春明门……于时京城歌楼擅名者,分为四部:曰春台,曰三庆,曰四喜,曰和春,各擅胜场,以争雄长……近日徽班习气,好买十岁小儿,教之歌舞,

黄口乳臭，强使登场，伊吾如背书，应弦赴节，尚不能解，何论传神写照矣？

杨懋建稍晚写成的刊于道光二十二年（1842）的《梦华琐簿》也提到"徽班"：

> 戏庄演剧必徽班。戏园之大者，如广德楼、广和楼、三庆园、庆乐园，亦必以徽班为主。下此则徽班、小班、西班相杂适均矣……春台、三庆、四喜、和春，为四大徽班……四徽班各擅胜场……四喜曰"曲子"……三庆曰"轴子"……和春曰"把子"……春台曰"孩子"……余按四喜在四徽班中得名最先，都门《竹枝词》云："新排一曲《桃花扇》，到处轰传四喜班。"此嘉庆朝事也。而三庆又在四喜之先，乾隆五十五年庚戌，高宗八旬万寿，入都祝釐，时称"三庆徽"，是为徽班鼻祖。今乃省徽字样，称"三庆班"。

由此来看，至迟道光时四喜、三庆、春台、和春等四戏班已被一些人指称为"徽班"，或并称为"四大徽班"，而其他戏班似不在"徽班"之列。

"徽班"也可被称为"徽部"，且"徽部"说法早于"徽班"。留春阁小史所辑《听春新咏》与《燕兰小谱》、《日下看花记》一样，皆为评花品旦一类闲书，以诗歌分别歌咏嘉庆初年京城著名旦色八十余人，其所录著名旦色分"昆部"、"徽部"、"西部"三类。其所谓"徽部"旦色均来自四喜、三庆、春台、和春等四个戏班。前引杨懋建《辛壬癸甲录》中也是"部"、"班"通用，不过"徽部"的提法后来似完全被"徽班"所取代了，以至今人多称"徽班"而不用"徽部"。

四喜、三庆、春台、和春等戏班既然被称为"徽班"或"徽部",顾名思义,是否说明其戏班人员多来自安徽(安庆府、徽州府)?

事实并非如此,此种例证甚多。如《听春新咏》"徽部目录",所录旦色共 54 人,分别有其籍贯说明,其中籍贯扬州者32 人,安徽者 9 人,苏州者 7 人,北京、湖北者各 2 人,湖南、直隶者各 1 人,这就是说所谓"徽部"或"徽班",其人员大多来自扬州,而非安徽!其所录"昆部"绝大多数籍贯苏州,分别隶于庆宁、迎福、金玉、华彩等班,其所录"西部"16 人,其中北京 5 人,扬州 4 人,四川、陕西各 2 人,直隶、山东、山西各 1人,分别隶属双和、大顺宁、三和等班,来自陕西、山西者仅 3人!由此来看,只有"昆部"的人员多来自苏州,算是名副其实。

那么,四喜、三庆、春台、和春等四戏班何以被称为"徽部"呢?窃以为乃因徽籍盐商。

自明中叶以来,徽籍盐商在设有盐运使的扬州、杭州两地的势力已远超晋商,徽商们为保证其经济上的垄断地位以及其家族子弟的政治权利,往往积极投靠、拉拢盐政和各级官吏,乃至上交天子。盐商们投靠、拉拢的手段摆在公开台面上的主要是参与地方公共事务(如治淮、赈灾、筑路一类)以及在朝廷遇有大事时尽力"报效"。康熙、乾隆在位时曾多次南巡,故迎銮接驾的费用,相当大的部分不能不摊派到财力最雄厚的徽籍盐商身上。而受两淮盐务、江南织造的指派,组织戏班娱乐天听,自属其份内之事。对此,李斗《扬州画舫录》有记载云:

> 两淮盐务例蓄花、雅两部,以备大戏。雅部即昆山腔;花部为京腔、秦腔、弋阳腔、梆子腔、罗罗腔、二簧调,

统谓之乱弹。昆腔之胜，始于商人徐尚志征苏州名优为老徐班。而黄元德、张大安、汪启源、程谦德各有班。洪充实为大洪班，江广达为德音班，复征花部为春台班。自是德音为内江班，春台为外江班。今内江班归洪箴远，外江班隶于罗荣泰，此皆谓之内班，所以备演大戏也。

　　两淮盐务为盐商们最需要巴结、利用的衙门，所谓两淮盐务蓄"花"、"雅"两类戏班，具体出资筹办者当然为盐商。据郑志良先生考证，《扬州画舫录》这里提到的商人黄元德（黄履暹）、汪启源（汪廷璋）、江广达（江春）、洪充实（洪丕振）、洪箴远（洪肇根）皆为徽籍盐商，张大安（张霞）为陕西盐商，程谦德、徐尚志籍贯不详，很可能也是徽商。

　　至乾隆中叶时，缙绅豢养家班的风气已基本消歇，盐商们此时所组织的戏班与过去的家班大不相同者主要有两点：

　　一是盐商凭借其雄厚的财力，挑选名角组班，戏班规模远超过去的十一二人。在过去七八人或十一二人戏班中，戏班一般无叠脚现象，但叠脚现象在盐商们所组织的戏班却非常普遍，特别是旦脚。如《扬州画舫录》载"洪班"有副末二人、老生二人、老外二人、小生三人、大面二人、二面二人、三面二人、老旦二人、正旦二人，小旦八人，共计二十七人。舒仲山说进京的三庆、四喜、启秀等班"各班小旦不下百人"，或有夸张，但尽可能网罗更多色艺俱佳的旦色，可能是盐商们组班时最为用心的。

　　二是"花"、"雅"并蓄。乾隆中叶时，扬州、南京、苏州、杭州等地驻城的戏班皆为昆腔班（即所谓"雅部"），《扬州画舫录》所提到的徽商所养戏班也多为昆腔班。但昆腔戏多雅静，而迎鸾接驾、祝釐贺寿实需热闹，故《扬州画舫录》有"两淮盐务例蓄花、雅两部,以备大戏",所谓"大戏"演唱时自然有"花",也有"雅"。乾隆时最著名的徽商江春(1721—1789),最能体会圣意,故在扬州率先组织"花"、"雅"并蓄的春台班。率先进京祝寿的三庆班以及后来陆续进京的四喜、启秀、霓翠、和春、春台等班,其幕后出资策划者多应是徽商,也多应是"花"、"雅"并蓄。

我们认为,三庆班以及四喜、启秀、霓翠、和春、春台等陆续进京,多应为徽商出资组班并赞助其北上,三庆班乃是打着为乾隆祝寿的旗帜,其他戏班则不知其详。从盐商们关系利益网来看,最有可能是挑选伶人和戏班通过江南织造、两淮盐运送至京城,随时听差供奉。

自秦汉以来,朝廷雅乐一般由隶属于外廷的太常寺执掌郊庙、宴享、朝会等雅乐,隶属宫廷内务府的"乐府"(唐以后多称教坊)一般专以歌舞、戏剧等俗乐供帝王、帝后等享用。自明代起,教坊司隶属礼部,同时也承命于内廷。清初沿袭明制,仍设教坊司。雍正七年,改教坊司为和乐署。此后,和乐署作为音乐机构一直延续到清末。由于和乐署规模始终很小,乐人仅百余人,故常招集外边伶人入内承应。清康熙时设立南府,负责内廷演剧及朝廷性仪式雅乐。乾隆时选太监到南府学戏,称"内学"。同时从南方挑选伶人入宫当差,招收民籍学生学戏,称"外学"。道光六年(1827),内、外学人员大为裁减。道光七年(1827),改南府为升平署,升平署作为清宫演剧管理机构直至清末。而为南府以及升平署挑选伶人事主要由江南织造和盐政官负责。《大清高宗纯皇帝实录》载乾隆三年事云:

> 上御勤政殿听政,谕大学士鄂尔泰等……近闻南方织造、盐政等官内,有指称内廷须用优童秀女,广行购觅

者,并闻有勒取强买等事,深可骇异。

在这节实录中,乾隆皇帝对南方织造、盐政等官的做法作出骇异之状。与其他文献结合来看,江南织造和盐政官实际上是经常从事此类勾当,只不过他们有时借用主子的旗帜中饱私囊、过于放纵而已。组织戏子演戏承应或进京应差,这本来是两淮盐务或江南织造的事——李斗《扬州画舫录》所谓"两淮盐务例蓄花、雅两部",但既然有盐商们主动"报效",盐务或织造官员们自然高兴。故我们认为,继三庆班之后相继进京的四庆、五庆以及四喜、启秀、霓翠、和春、春台等班均应是盐商(主要是徽商)组班并送入京城的。

盐商们组织输送的戏班自然不限于四喜、三庆、春台、和春等四戏班,而此四戏班因长期在京城有名,所谓四喜曰"曲子"、三庆曰"轴子"、和春曰"把子"、春台曰"孩子",遂在道光时被时人并称为"四大徽班",其他则湮没无闻了。

现在学术界流行的观点是"徽班"进京后不断演变,最终是"徽班"(徽班所演之戏称"徽剧"?)演变为"京剧",故"徽班"进京成为京剧崛起的历史性大事件。人们最乐于征引的文献主要是小铁笛道人自序其《日下看花记》中的一段话:

迩来徽部迭兴,踵事增华,人浮于剧,联络五方之音,合为一致。舞衣歌扇,风调又非卅年前矣。

小铁笛道人这段话写于"嘉庆癸亥九月",即 1803 年,也即三庆班入京后不久。徽部(徽班)究竟如何"联络五方之音,合为一致",他没有具体说明。徽班进京仅十余年,艺术上即发生脱胎换骨的变化,显然仍需大量旁证。

由于学术界目前对中国戏曲(包括"京剧")根本特征的

认识中多极看重"唱腔"或"声腔","京剧"唱念的"京音"的出现遂成为"京剧"成熟的标志。虽然何谓"京音"、"京音"究竟何时出现至今仍存在争议,但小铁笛道人既然说到徽部"联络五方之音,合为一致",此数语不妨成为人们想象"徽班"演变为"京剧"("京班"所演之戏后来被泛称为"京剧")最直接的证据。

北京的戏班——晚清时开始被上海人称为"京班"——组班方式清末民初时渐由脚色制转为名角制(见下节)。中国戏曲舞台上相继出现了一大批的名角,如谭鑫培及"四大名旦"等,这标志着中国戏曲艺术发生了很大的变化,至于"京音"或"唱腔"的意义似不必过分看重。也因此,我们认为小铁笛道人所谓"联络五方之音,合为一致"也不宜作太多深度解读。

"徽班"以及后来的所谓"京班"都是"花"、"雅"合奏,从现有文献看,我们的确可以看到其中"花"(主要是"乱弹腔"或称"皮簧腔")的力量渐强、"雅"的力量减弱,但我们必须指出:后来的"京班",其历史源头或人员并非只有"徽班"一途,"徽班"演变为"京剧"的逻辑可能存在根本性问题。

早在"徽班"进京前,京城的戏班早已是"花"、"雅"诸腔并存,此种文献例证甚多。如乾隆二十年(1775)前后,河北清苑(保定)人李声振所撰《百戏竹枝词》即已提到"昆腔"、"弋阳腔"(俗名"高腔")、"秦腔"(俗名"梆子腔")、"乱弹腔"(俗名"昆梆")、"四平腔"等。又如浙江仁和人吴长元所撰《燕兰小谱》,记录了自乾隆甲午年至乙巳年(1774—1785)十一年间他在京所识著名旦色六七十人。吴长元将其归为"雅部"、"花部"两类,其中"雅部"20人(实收18人),皆来自江浙;"花部"46人(实收39人),其中原籍直隶者15人,四川者11人,陕西3人,山西、山东各2人、河南、湖北、湖南、云南、江苏、江西六省各1人。

李声振《百戏竹枝词》、吴长元《燕兰小谱》二书对"花部"的记述均早于高朗亭率三庆班进京的乾隆五十五年(1790)。

这也就是说,北京"花部"、"雅部"戏班人员的来源不必仅有"徽班进京"一途,江浙及山东、河北、河南、山西、陕西、四川、两湖等地戏班皆有贡献,此后也是如此。换言之,"徽班进京"作为历史事件,其意义不宜过分夸大。

京班的"名角制"

甲午战争发生时,在上海、香港、北京、广州、天津、青岛、汉口、福州、厦门、济南、南京等城市,商业资本在外国势力的推动下已有很大发展。甲午战争后,清廷惩战败之痛,也不得不改变"重农抑商"政策,鼓励和扶植民族工商业的发展,上海等中国东部一些沿海城市的商业活动更趋活跃,城市消费娱乐需求大为增加,与此同时近代报刊业也获得空前发展,这都为近代商业性戏馆的兴起创造了前所未有的契机。

自康熙末期始,北京、苏州等地虽然先后出现了一些商业性戏馆,但其时多依附于"茶楼"、"饭庄",戏钱包括在茶资、饭钱中,随着时日推移"戏"的分量才渐重,最终变为以"戏"为主,因称戏馆、戏园。直至清末,北京的戏园一般仍四日一轮换戏班(《都门纪略》),虽然戏园老板有挑选戏班的主动权,但四日一轮换戏班的通约毕竟对各戏班有公平性,各戏班都可能有饭吃,也可以和平共处。由于没有报刊可用为广告,戏园如演某戏,一般在戏园门口摆放与某戏相关的一些砌末(道具),或者张贴写有戏目的"报条"。吴太初《燕兰小谱》说:"近日歌楼演剧冶艳成风,凡报条有《大闹宵金帐》者(自注:以红纸书所演之戏贴于门牌,名曰'报条'),是日坐客必满。"无名氏《都门竹枝词》有:"茶园砌末摆来精,尺许红条写戏名。""报条"也可在闹市通衢张贴。杨懋建《梦华琐簿》:"《都门竹枝词》云:'某日某园演某班,红黄条子贴通阛。'今日大书,榜通衢,名'报条'。曰'某月、日,某部在某园演某戏',尚仍其旧俗。"这都是说,当时戏园主主要凭借戏目而招徕观众，而非是凭借著名演员。当时的北京如此，外地当亦然。

资本的本性就是追求利益最大化，随着商业资本的进一步发展，戏园之间的竞争也日益加剧。光绪末年，上海本地戏园已有一百余，数量居全国之首，竞争尤为剧烈，戏园老板不得不挖空心思做生意。戏班名角儿最初就是由上海的戏园老板大力推出的，各地戏园主纷纷仿效，名角班遂逐渐取代脚色制结构的戏班。

自中国戏曲形成以来，脚色制即是戏班组织结构的核心。这主要表现在，各门脚色在戏班中的地位是平等的，班中演员不论其工于哪门脚色，也不论其有名与否，都可以在某些戏或某场戏中为主角，在某些戏或某场戏中为配角或杂色，班中没有专门跑龙套的演员。1931年4月5日《申报》曾刊登一篇题为《水路戏班组织之神妙》的文章，文中说到吴中地区昆班的组织云：

> 戏班里的组织法，一言以蔽之，曰：能严厉实行……他们每一只船上，必定有一个老生、一个花面、一个青衣，不能同样的角色，都睡在一只船上，因为譬如今天在甲地演戏，演到末二出的时候，就把没有戏的人，先开一只船，赶往乙地。到乙地，即使全体因着路远赶不上，那第一只船有老生、有花面、有青衣，就可以先开锣，然后守候全体到来。所以人数最多的武戏，往往在中间唱的。他是极平等的，没有跑龙套，空着的人，谁都要去跑龙套。

在以脚色制为组织结构的班社中，不独场面（乐队）是各种脚色共用的，班中的行头也是各脚共用的。梅兰芳

(1894—1961)《舞台生活四十年》追述到晚清江南著名的昆班全福班时,有云:

> 全福班的后期,沈秉泉起班最久。班子起好了,角色也邀定了,第二步就是到贳行头店家,租好全套衣箱,如大衣箱、二衣箱、盔箱、把子箱……考究点的共有十八只,马虎点的十二只也可以对付得过。各角很少自带私房行头,都是穿衣箱里的行头。从前昆班的行头,讲究预备得齐全,新旧倒还在其次。因为当时每一出戏的各行角色,按着他的身份在服装上分得都相当细致,哪怕一个极不重要的零碎角色,也不能随便借用他角的行头。可以说每一个穿出场的行头都有他自己的一种定型。如果乱穿了出来,换了一点样子,台下就会很不满意地说:"这个角色扮得勿像是戏里厢格人哉!"后来到了上海,就独是考究一个新字了。

各种脚色只有各自守住家门扮饰的规矩,共用衣箱里的行头,才能使观众明白辨别出其所属家门,如果人人独出心裁,自备行头,岂不很容易坏了家门的规矩?所以旧时昆班的扮饰讲究"宁穿破,勿穿错",可谓至理明言。

戏班中的演员天分有别,后天因缘有异,所以事实上,即使在以脚色制为组织形式的戏班中,有些演员也会因其表演技艺较为优秀,成为班中突出的"角儿",引人瞩目。由于宋元以来的家班受制于家班主人,职业戏班则有严格的班规约束(都须在老郎庙挂牌),所以班中即使有演艺突出的演员,这样的演员也很难真正成为高人一等的、站在他人身上的"角儿"。但清末以来的社会情况与此前大异,为名角班的出现提供了契机。

　　为了争取观众，上海戏园老板想到的招数是，借助报刊广告推出戏班中的名角儿。早期海报广告大多仍是"戏"为主、"人"为次（戏目之后注明演员），但这种广告很快即为以"人"为主、"戏"为次的形式所替代，演员姓名往往在戏目之上，人名远比戏名更显赫。梅兰芳《舞台生活四十年》回忆道：

　　　　戏馆老板邀到了北京名角，他们的宣传方式，是登日报、贴海报。新角在报上登的名字、占的篇幅，大得怕人。满街上每个角落里都是红纸上面印着一个黑框子，里面用金字填写角儿的名姓和戏码。那时的习惯，不拿剧团做单位，都拿角儿做单位。

所以近代"戏园"以及其所依赖的报刊业，对"名角儿"们的推出都是有大功的！

上图为上海的天蟾舞台 1948 年 4 月 2 日在《申报》登出的海报，头等"躺着的"名角儿梅兰芳、杨宝森，次等"坐着的"名角儿俞振飞、姜妙香、高盛麟等，再次"站着的"名角儿王少亭、任志秋等。角儿们分为三等，至于非角儿的演员当然是没资格上海报的。

在以脚色制为组织结构的戏班中，戏班的利益是大家共同的，"有福同享，有难同当"，班中所有的脚色为此都须恪尽职守，所以这样的戏剧班社基本上是"集体主义"的，吃的是"大锅饭"。在名角班中，戏班演员是分等级的，秩序井然。头牌演员处金字塔之最顶端，二牌、三牌为头牌之配角，在大轴戏里陪着头牌唱戏，为陪衬，不得僭越。若二牌、三牌在一晚中的得彩数高过头牌，第二日就会被辞退。二牌、三牌和头牌一样都是"一路"的"角儿"，由"二路"的演员为其配角，在压轴戏或倒第三的戏里陪着唱，为陪衬，亦不得僭越。无论名角，还是龙套，都是凭自己的"玩艺儿"吃饭，所谓"应什么工，拿什么钱，就得干什么活"。故班中演员收入差别悬殊，由此构成一个由底层龙套演员、普通二路演员到三牌、二牌、头牌的金字塔。如 1918 年秋，梅兰芳的内兄王毓楼、姚佩兰组织喜群社，喜群社以梅兰芳为头牌，梅的戏份每场八十元，老生王凤卿为二牌，每场四十元，余叔岩戏码倒第三，戏份二十元。1923 年秋，程砚秋应上海丹桂第一台之请南下，每月包银定为八千元，王派须生郭仲衡每月二千四百元，刀马旦荣蝶仙每月一千八百元，黄三派武二花侯喜瑞每月包银九百元，文武昆乱俱全之小丑文亮臣、王又荃、曹二庚及吴富琴，以上四人合包银一千五百元。从 1917 年农历十一月十七日北京广德楼戏院的"卡子"（即分账单）可见，梅兰芳当晚的戏份五十元，八个上下手二十二吊，每人平均不到三吊。以一元折合十二吊计算，梅兰芳的戏份相当于上下手的二百多倍。

　　名角班逐渐替代脚色制戏班，或可以清光绪二十一年（1895）谭鑫培（1847—1917）组织同春班为标志。近代以来以名角为组织核心的京剧班社，主要有三种组班方式：一是由富商出资、由懂行的人邀角组班，或者直接由戏班经励科（专管邀角组班的经纪人，俗称"吃戏子肉的"）邀角组班，如俞振庭的双庆社、朱幼芬的桐馨社、王毓楼和姚佩兰组织的喜群社等皆是；二是名角挑班，名角既是戏班的主演，又是班主、东家，财经、业务、人事等大权集于一身，戏班盈亏统由这位挑班的名角负责，如梅兰芳之承华社、程砚秋之秋声社、尚小云之玉华社、荀慧生之留香社、马连良之扶风社、周信芳之移风社等皆是；三是戏园老板邀角组班，名角多自北京，基本演员多自当地，当时上海、武汉、天津、南京、青岛、济南等戏园老板都是如此，如前文提及的上海丹桂第一台。第一种组班方式在早期较为常见，后来则渐少。第二种与第三种组班形式在后来较为常见，而这两种实际上可以是并行的，原因是北京的名角可以随时接受外地戏园的邀请演出，而将自己的班底暂留在北京（不论是"角儿"，还是"龙套"，都可以在此期间搭靠他班的）。

　　从有利的一面看，相对脚色制的戏班，角儿制的班社内有强烈的竞争性。无论名角还是龙套，都是凭自己的"玩艺儿"吃饭，若想保住自己的饭碗，或者争取更高的戏份、戏码往后挪，从底层的龙套演员到上层的被称为"角儿"的一路演员，都不得不为此而努力奋斗。在这样的班社中，你拿的戏份愈大，你面临的生存压力也愈大，风险也愈高，这一点对已成为"名角儿"的演员而言尤其如此。强烈的竞争，迫使"名角儿"们必须不断努力提高演技，在唱、念、做、打等各方面精益求精，拓宽戏路，以能立于不败之地。

民国以来,"名角儿"们努力提高个人文化修养,竞相编创"新"腔、编演"新"戏,在剧情改造、人物扮饰、身段设计等方面大胆改进,努力寻求、创造与个人性情气质相契合的唱腔、剧目,从而形成独具特色的表演风格(所谓"流派"),以资号召,其根本原因恰在于此。这种竞相自我提高、改进的风气,最终造成这样一种事实:民国时期以"四大名旦"为代表的"名角儿"们,成为中国戏曲史上社会地位最高、文化修养最高、个人艺术创造也最多的空前绝后的一代演员。

但世间万物,若有其长,必有其短。脚色制的戏班,生、旦、净、末、丑等各门脚色相互制衡,如赤、橙、黄、绿、青、蓝、紫等各种色彩一样,各发挥其用,戏剧表现才能丰富多彩,设若单用其中一色,其艺术表现必然是单调乏味的。名角班突出强调名角在整个戏班以及戏剧表现中的作用和意义,也可以说是突出强调某种色彩的作用和意义,从戏剧表现的角度看,其艺术表现必然是有很大局限性的。当脚色间彼此制衡的关系被打破后,名角很容易走到卖弄"技艺"的道路上去。从观众一方面看,在戏园、报刊强势的舆论导引下,某些观众进入戏园的目的就是看"名角儿",随时准备为"名角儿"的演技喝彩,这种观赏趣味必然鼓励名角沿着卖弄"技艺"的道路走得更远。

同时,在等级森严的金字塔式的戏班中,从名份上说,二牌、三牌等"一路"的"角儿"都应心甘情愿地充当头牌的配角,为陪衬;"二路"的演员也应心甘情愿地充当一路"角儿"的配角,为陪衬。但事实上,由于班中名份利益的分配很难使戏班各路成员都称心如意,各路演员台下明争暗斗,反映到台上就是谁也不服谁,各唱各的戏,很难形成"一棵菜"的效果。

近代京班的名角制,其影响和意义也并不限于京剧,名角制作为一种组织形式很早即被各种地方戏所效仿，从这个意义上说，豫剧之常香玉、越剧之袁雪芬、黄梅戏之严凤英与京剧之梅兰芳，均具有同样的意味。

　　1949 年以后名角制作为一种组织形式虽已成为历史，但其在现实中的影响和意义并未因这种组织形式的被取代也迅即成为历史，名角制的基本精神实际上在建国后的"流派艺术"中得到一定程度的传承，名角制艺术上的利弊也同样在"流派艺术"上得到体现。在理论认识方面，就是"流派艺术"论以及"演员中心"论的提出。如果说理论研究不完全（也不应当）只是解释现实并为现实的"合理性"辩护或者服务的，作为理论研究者，我们也应当同样反思现实中的"非法性"。唯有如此，我们才可以期望未来比之现在更加美好、合理。

"剧种"的建立与中国本土戏剧之困境

1951年"剧种"一词的出现及此后各"剧种"的建立,对中国本土戏剧的现代生存有极大的影响。而理解"剧种"这一历史现象,要从中国本土戏剧的分类说起。

中国幅员广阔,各地经济文化发展不平衡,有东西、南北之异。自南北朝以来,南北之异开始成为最主要的差异。自靖康之乱到元灭南宋,南、北方政权曾对峙长达一个半世纪,在这一时期南戏、杂剧先后形成于南、北方,故人们很自然地认识到南戏、杂剧各为一类。如明人王骥德《曲律》有云:

> 剧之与戏,南、北故自异体。北剧仅一人唱,南戏则各唱。一人唱则意可舒展,而有才者得尽其春容之致;各人唱则格有所拘,律有所限,即有才者,不能恣肆于三尺之外也。

王骥德此处所谓的"北剧"即我们前面讲述过的元曲杂剧,其所谓"南戏"即我们前面讲述过的南戏、传奇,虽然他在区分"北剧"、"南戏"之别时,主要着眼于演唱方式的不同,但"北剧"、"南戏"结构体制的不同,王骥德时代的人们自然是很清楚的。

明代中后,元曲杂剧已主要成为案头读物,除了来自元杂剧的一些折子戏,全本的场上演出基本绝迹,以徐渭(1512—1593)《四声猿》、汪道昆(1523—1593)《大雅堂杂剧》为代表的明清文人杂剧,其结构体制上兼容南、北,非元人之旧，但也主要是一种案头文学，极少登诸场上，可暂且置而不论。

南戏早期主要流布于南宋故地，后则传至淮河以北地区。其在不同地区，由不同戏班搬演时，当然会有不同的艺术水准、风格特色。从艺术水准而言，自然以苏、锡、常、杭、嘉、湖、宁、扬等江浙核心区域为最高——自南宋以至近代这一地区的经济文化水准也是全中国最高的。大概而言，我们可以说在传统中国一地区戏班的艺术水准与该地的经济文化水准基本相当。中国戏曲从风格特色方面来说，最引人注意的当然是唱、念，特别是唱腔。由于中国古代歌唱都是方言入唱，所以会有“弋阳腔”、“余姚腔”、“海盐腔”、“昆山腔”、“义乌腔”、“青阳腔”、“四平腔”、“乐平腔”、“太平腔”等难以尽数的唱腔。从实际来说，凡歌唱都会努力向当时的通语靠近，即努力“打官腔”，但因努力程度及效果的不同而使得方言的特色或多或少。如明代中后期“海盐腔”、“昆山腔”先后比较成功地使用通语，从而风行南北。顾起元《客座赘语》有：“弋阳则错用乡语，四方士客喜阅之。海盐多官语，两京人用之……今又有昆山，较海盐又为清柔而婉折，一字之长，延至数息，士大夫禀心房之精，靡然从好。”

这也就是说，同一类戏剧——都使用脚色制的南戏、传奇，同是《琵琶记》、《玉簪记》，不同地方的戏班可用不同的唱腔演唱（正如不同方言区的人都吟诵杜诗一样），有不同的风格特色。故明沈宠绥《度曲须知》“曲运隆衰”一节有云：

> 名人才子，踵《琵琶》、《拜月》之武，竞以传奇鸣；曲海词山，于今为烈。而词既南，凡腔调与字面俱南，字则宗《洪武》而兼祖《中州》，腔则有“海盐”、“义乌”、“弋阳”、“青阳”、“四平”、“乐平”、“太平”之殊派。

　　现代不少学者常常将"声腔"与"剧种"或戏剧类别等同起来,一"声腔"即是一"剧种","四大声腔"即四个"剧种",显然是有问题的。

　　乾隆中叶,时人把当时的中国戏剧分为两大类:一为"雅部",一为"花部"。"雅部"、"花部"实际是戏剧的雅、俗之分,"雅部即昆山腔",这是因为此时的"昆山腔"已是通语入唱、依字声行腔的有严格演唱规范的曲唱,这种曲唱只有苏、锡、常、杭、嘉、湖、宁、扬等城市驻城的戏班才能较好胜任,这些戏班搬演的戏多是文人们撰写的南戏、传奇,演出水准也较高,故为"雅部"。非此一类的,统归为"花部"。

　　"花部"戏内部实际可分为两大类:一类是只有两三个演员,不以叙事为目的而以歌舞或戏谑为表演目的的二小戏、三小戏;一类是使用生、旦、净、末、丑等脚色,可以搬演历史故事或男女情爱故事的"大戏"。同样使用脚色制,有些地方的戏班可能用五六门脚色,有些地方的戏班可能用七八门或更多(如福建梨园戏使用七门脚色)。

　　从唱腔而言,"花部"戏所用唱腔五花八门,难以尽数。乾隆中叶以前,各地戏班活动范围有限,一般单用一种方言唱腔,主要活动于其所属的方言区。但乾隆中叶以后,"花部"戏空前活跃,戏班越府跨省的现象很普遍,大中城市的戏班更是南腔北调各种唱腔会集,一戏班一般不单用一种唱腔,如山东柳子戏所用唱腔甚多,故有"九腔十八调,七十二哎咳"和"百调子"之称。从盈利的角度说,一戏班能用多种唱腔、一演员能用多种唱腔(所谓"文武昆乱不挡"),才能更吃得开,有竞争力。

　　1949 年新政府建立后,文化建设中最重要的内容之一是对来自传统社会的旧剧进行改造,以便适应新社会的需求。1949 年 11 月 3 日,文化部成立了以田汉为局长的文化部戏曲改进局,主要任务是进行对戏曲剧目和演出的调查研究,组织力量整理、改编戏曲剧目等,各地也相应陆续成立其下属机构。对旧剧进行改造之前,首先是戏班进行合法登记,即由戏班向各地文化主管部门申报是何剧类、演出剧目等。如果获得合法登记,即可成为民办公助的剧团(后来有的进一步成为国营剧团),由当地派文化干部入团,开展戏改工作,即"改戏、改人、改制",也获准在当地演出(如参加汇演才可以去外地);如不能获得合法登记,即成为"黑戏班",只能自行解散。这样,这些获得合法身份的戏班成为隶属于某地的剧团,而过去这些戏班自谋生路时,其活动范围当然不会限于该地。

为了便于管理各地剧团,"剧种"一词便应运而生。"剧种"一词最早出现在 1951 年 5 月 5 日由政务院总理周恩来签发的《关于戏曲改革工作的指示》(又称五·五指示)。5 月 7 日,《人民日报》发表的社论最早对"剧种"概念做尝试性解释:"戏曲类种极为丰富多彩,全国大小剧种有百种左右,各种地方戏都带有各地方的语言、音乐和风俗的特点。"

如果说各"剧种"的主要特征是"都带有各地方的语言、音乐和风俗的特点",那么除"京剧"外,其他所有的"剧种"都或多或少有地方特色,都是"地方戏"。当然,对于具体某一地区而言,在该地成功登记获得合法身份的戏班或剧团可分为两类:一类是"本地剧种",一类是"外来剧种"。1959 年出版的《中国地方戏曲集成》"上海卷"的前言称"上海戏曲剧种共有沪剧、滑稽戏、越剧、京剧、昆曲、淮剧、扬剧、甬剧、锡剧等九个",其中只有"沪剧、滑稽戏是上海地方特有的剧种"。如果试图将某地的"剧种"做出"本地剧种"、"外来剧种"的区分,那么该地文化管理部门很容易发现,在该地登记的戏班或剧团大都是"外来剧种"。按照"百家争鸣"、"百花齐放"方针,管理部门就很有必要组织建立真正有"地方的语言、音乐和风俗的特点"的"本地剧种"。

如前所述,"花部"戏分为两类,使用生、旦、净、末、丑等脚色的"大戏"是有至少七八人的戏班,这样的戏班大多是职业性的;而被称为采茶戏、花鼓戏、灯戏、二人转等以歌舞或戏谑为主的二小戏、三小戏,一般只有两三个演员,本不成为戏班,也大多是非职业性的。此外,各地一般都有非戏剧的说唱艺术,如"滩簧"、"莲花落"、"弦索调"、"道士腔"(打道情)等,这些说唱艺人大多为非职业性的,当戏班可进行合法登记时,他们也急于获得合法身份。现在各地文化管理部门既然已认识到组织建立"本地剧种"的必要性,他们便将二小戏、三小戏的演员或说唱艺人组成一剧团,表演、服饰等方面借鉴"京剧",只要组建了一个合法戏班(剧团),一个新"剧种"便告诞生!

黑龙江、吉林两省都因为此前没有"本地剧种",所以都分别将当地的二人转艺人组织起来,分别建立了"龙江剧"、"吉剧"两个"剧种"。县市一级行政单位,如果竟然没有剧团,当然不利于文化建设和宣传,所以五十年代一些县级剧团也纷纷组建,因此产生了很多新"剧种"。据说,我国大约近百个稀有"剧种",都只有一个剧团(戏班),故称"天下第一团",如江苏丹阳市的"丹剧"、河南内乡县的"宛梆"、河北唐山市的"唐剧"等。这些被誉为"天下第一团"的"剧种",大都是因此建立的。

二十世纪五十年代前,中国各地祈福驱邪的傩戏非常普遍,但五十年代一般被视为封建迷信,也是研究禁区。二十世纪八十年代初,以《中国戏曲志》、《中国戏曲音乐集成》等大型志书的编纂为契机,很多文化系统研究人员下乡调研,在"解放思想"的时代背景下,各地的傩戏纷纷被发现而被申报为新的"剧种",如安徽贵池傩戏、贵州安顺地戏、陕西汉中端公戏、青海藏剧等。

与"剧种"密切相关的概念范畴是"声腔"。《中国大百科全书》"戏曲卷"对"剧种"的界定谓"根据各地方言语音、音乐曲调的异同以及流布地区的不同而形成的各种中国戏曲艺术品种的统称",所谓"各地方言语音、音乐曲调"主要是就"声腔"而言的。按照"剧种"论,一种"声腔"即是一个"剧种",所以"声腔"实际上是"剧种"划分的最主要依据。任何科学分类,其分类标准必须是始终统一的,但事实上,"剧种"论却无法严格按"声腔"的标准进行类分:(一) 同一剧种,可能包括各各不同的"声腔",如京剧中有皮黄、昆曲、吹腔等"声腔",而"两下锅"或"风搅雪"的现象在各"剧种"中是极其普遍的;(二) 同一"声腔",又被命名为各不相同的"剧种",如"昆山腔"这个大"剧种",又包括"北昆"、"南昆"、"湘昆"、"浙昆"、"永昆"等许多小"剧种";(三) 同一"声腔"、同一类戏班、同一类可彼此搭班的演员,却被不同地方命名为不同的"剧种",如流行于鲁、豫、皖、苏四省交界处的梆子戏,分别被称为"枣梆"、"河南梆子"、"淮北梆子"、"江苏梆子";(四)各地的傩、目连戏和民间歌舞小戏也纷纷打着"声腔"的旗帜,成为中国戏曲的"剧种"。

按《中国大百科全书》(1983)"戏曲卷"的统计,中国有317 个"剧种"。《中国戏曲剧种大辞典》(1995)的统计则为335 个"剧种"。这些统计可能并非完整的,因为五十年代以来因各种形势组建的剧团后来难以为继,只好解散了。戏班(剧团)解散,也就是"剧种"的消亡。如果以地方特色作为各"剧种"或地方戏的特征,从理论上说,中国有一两千个"剧种"也毫不足怪。

对事物进行分类,其目的是为了获得对事物的整体性认识。"剧种"论是否有助于我们在整体上理解"中国戏曲"？每个"剧种"都有每个"剧种"的特色，那么"中国戏曲"总的特色是什么？被分到数百个"剧种"中去了？"剧种"论自身存在的矛盾，使我们不能不反思：多年流行的"剧种"论有没有问题？

现在看来，五十年代初"剧种"的提出和建立，完全是因为现实需要：便于政府按行政区划进行管理。"理论"本来主要是一种抽象的形而上的思考和认识，由具体到一般，由低级的一般到更高级的一般，也就是要超越具体"实际"的，而相关"剧种"的理论则过于贴近现实、服务现实了。

"剧种"的建立以及其后"剧种"论，也使中国本土戏剧此后日益陷入生存的困境。从一方面看，"剧种"存在的主要标志——各剧团（戏班），大多驻守县城以及更高级别的大中城市，各剧团接受当地文化部门的指导和管理，在演出一些传统剧目的同时，也不得不适应各种形势需要编创一些新剧，而编创新剧的成本非常大，费时、费力。这些戏班本来主要活动在乡村，他们本来有很多可以保证盈利的传统戏以及适应观众口味的新戏，现在剧团提供的新剧未必是"群众喜闻乐见的"，让农民进城买票看戏也非常不现实。

同时，各"剧种"或地方戏的特征——"各地方的语言、音乐和风俗的特点"，作为各"剧种"或地方戏发展的理论导向，也使得各"剧种"走入日益狭隘的道路。"剧种"之前，各戏班冲州撞府，有更广大的活动空间，戏班演员可彼此搭班，演艺方面相互学习借鉴，不断打破其原有的"地方性"局限，不自觉地由一种地方戏剧不断走向民族性戏剧——正如昆班演剧自吴中走向全国而成为最代表性的民族戏剧一样。文化不同于政治而有边界，任何文化都有超越地域、国家的特征。而各"剧种"建立后，突出强调其"地方特色"，犹如紧箍咒一样自我约束、自我限制，艺术空间、活动空间日益狭隘。"剧种"之前，大多数戏班都是多种声腔并用，戏目非常丰富。"剧种"建立后，除"京剧"等少量剧种承认为"多声腔剧种"外，大多数"剧种"都自觉地放弃多声腔，突出使用最有"地方特色"的某种声腔——与其他声腔演出相关的戏目、演艺当然一起被遗弃了。

自二十世纪八十年代中期以来，戏曲"危机"的声音此起彼伏，不断有"剧种"走向消亡。中国戏曲作为传统文化的一种，她的生存现状也反映了中国传统文化在现代社会的生存困境，正如古典诗词、书画等文学艺术一样。但我们也不能不承认，人为地建立各"剧种"，使剧团（戏班）常年离开农村、驻守城市，同时又不断强调其"地方特色"，所有这些都可能使其走向自我灭绝之路。近年各"剧种"竞相申报"非物质文化遗产"，仍以"地方特色"相标榜，尤令人悲哀莫名！

古代戏曲的班社、剧场与搬演

中国戏曲的演出形态也是理解中国戏曲的重要方面。不同性质的班社和剧场,往往对应不同形态的戏曲,其对整个中国戏曲的影响和意义也不尽相同。中国古人的宗教信仰、社会习俗,是中国戏曲赖以存在的外在文化环境,也直接影响了其搬演形式。有鉴于此,本章我们拟从班社、剧场和搬演三个方面简要描述中国戏曲的演出情况。

古代戏曲的班社

　　西洋戏剧赖编剧、导演、演员三方分工、共同完成,中国古典戏曲也有编剧家,如关汉卿、高明、汤显祖等皆是,但无专门的"导演",编剧家完成剧作后直接交付艺人搬演,或有艺人(如副末)知晓戏理,在演出前有所"吩咐",类似"导演",但此种艺人并不以"导演"为其专职,而是与其他艺人一样共同完成戏剧演出。

　　艺人演戏,无法单独行动,须与他人共同配合才成,故不能不组成班社(今称剧团)。从中国古代戏曲历史发展来看,古代戏曲班社可按其组成性质分为三类,即家庭戏班、家班、职业戏班,其对中国古代戏曲的意义也不尽相同,以下略作阐述。

　　所谓"家庭戏班",即以家庭成员为主的戏班。自现有文献看,唐宋时中国已有很多家庭戏班。其时家庭戏班主要以歌舞、戏谑表演为主,如后世的"二小戏"、"三小戏",或者更低级的杂耍把戏一类。唐范摅《云溪友议》卷下"艳阳词"云:

> 有俳优周季南、季崇及妻刘采春自淮甸而来,善弄陆参军,歌声彻云。篇韵虽不及(薛)涛,容华莫之比也。元公(稹)似忘薛涛,而赠采春诗曰:"新妆巧样画双蛾,慢裏恒州透额罗。正面偷轮光滑笏,缓行轻踏皱文靴。言词雅措风流足,举止低回秀媚多。更有恼人肠断处,选词能唱望夫歌。"《望夫歌》者,即啰唝之曲也(金陵有啰唝楼,即陈后主所建)。采春所唱一百二十首,皆当代才子所作,其词五、六、七言皆可和者。

按《云溪友议》所载,刘采春之女周德华亦善唱,"虽啰唝之歌不及其母,而《杨柳》之词采春难及"。周德华之唱应有其母之亲授,据此周季南、季崇兄弟的家庭戏班最多时可能有四人。刘采春母女擅唱,周季南、季崇兄弟或善滑稽戏谑。

又如南宋周南《山房集》云:

> 市南有不逞者三人,女伴二人,莫知其为兄弟妻姒也,以谑丐钱。市人曰:"是杂剧者。"又曰:"伶之类也。"每会聚冲要阛咽之市、官府之旁、迎神之所,画为场,恣旁观者笑之,自一钱以上皆取焉。

《山房集》所载这一家庭戏班成员共五人,三男二女,其表演显然以滑稽戏谑为主,其画地以为戏场的做法至近现代犹然。

又吴自牧《梦粱录》云:"又有村落百戏之人,拖儿带女,就街坊桥巷呈百戏伎艺，求觅铺席宅舍钱酒之赍。"周密《武林旧事》云："或有路歧，不入勾栏，只在耍闹宽阔之处做场者，谓之打野呵。此又艺之次者。"这些就地做场的"路歧"人，所表演的应主要是杂耍把戏一类。

但自中国戏曲形成以后，家庭戏班也可以搬演成熟的南戏或元杂剧。南戏《错立身》、杂剧《蓝采和》反映的都是这种情况。《错立身》写到家庭戏班以王恩深为首，其女王金榜为台柱，《错立身》第四出王恩深妻上场宾白中说："老身赵茜梅，如今年纪老大，只靠一女王金榜，作场为活。本是东平府人氏，如今将孩儿到河南府作场多日。今早挂了招子，不免叫孩儿出来，商量明日杂剧。"这一家庭戏班在河南府勾栏演出，挂出"招子"（演出广告）后，勾栏内看客很多，"阵马挨满楼"。但因为河南府同知"换官身"，王恩深只好赶紧去勾栏内"散了看的"。以王恩深为首的家庭戏班，后来又因爱恋王金榜的贵族子弟完颜寿马的加入而增加了一位男性演员。这一家庭戏班能演多种杂剧，也能演短小的"院本"，且能在洛阳（剧中称河南府）这样大城市中的勾栏演出，故其成员应远不止四人。可惜《错立身》剧本未能提供更多信息。

杂剧《蓝采和》写到的家庭戏班以蓝采和为首，第一折蓝采和上场宾白中有："小可人姓许，名坚。乐名蓝采和，浑家是喜千金，所生一子是小采和，媳妇儿蓝山景，姑舅兄弟是王把色，两姨兄弟是李薄头。"可见其戏班是其一家四口外加"姑舅兄弟"、"两姨兄弟"两人，共六人，四男二女。他们在"梁园棚勾栏里做场"，一做二十年。蓝采和为台柱，因"误官身"被打四十大棒，后来汉钟离度脱蓝采和入道后，戏班生意艰难，"自从哥哥去了，勾栏里就没人看"。又过了三十年，王把色、李薄头都已七八十岁，无法登场演戏，"他每小的便做场，我们与他擂鼓"。可见家庭戏班内有演技的传承。

陶宗仪《南村辍耕录》卷二十四"勾阑压"条提到的天生秀一家也应是家庭戏班：

> 至正壬寅（1362）夏，松江府前勾栏邻居顾百一者，一夕梦摄入城隍庙中，同被摄者约四十余人……一皆责状画字。时有沈氏子，以搏银为业，亦梦与顾同，郁郁不乐，家人无以纾之。劝入勾栏观排戏，独顾以宵梦匪贞，不敢出门。有女官奴习呕唱，每闻勾栏鼓鸣，则入。是日，入未几，棚屋拉然有声。众惊散。既而无恙，复集焉。不移时，棚阤压。顾走入抱其女，不谓女已出矣，遂毙于颠木之下，死者凡四十二人，内有一僧人二道士。独歌儿天生秀全家不损一人。其死者皆碎首折肋，断筋溃髓。亦有被压而幸免者，见衣朱紫人指示其出。不得出者，亦曲为遮护云。

从"女官奴习呕唱"看，天生秀家的戏班演出也应是南戏或杂剧。但从明中期以后的史料来看，家庭戏班演出"二小戏"、"三小戏"或杂耍把戏仍在继续，但再也看不到家庭戏班搬演南戏或杂剧。家庭戏班退出真正的戏剧演出，也可以理解。从演艺水准看，随着中国戏曲的日渐成熟，演出技艺日渐积累，职业化不断发展，家庭戏班渐无法跟职业戏班竞争。

所谓家班，即由缙绅富户豢养的戏班。帝王贵族豢养优伶以供其耳目之娱，由来已久，文献中多称"家乐"，春秋时鲁国卿大夫季氏"八佾舞于庭"即是显例。从史料记载来看，明中叶前帝王贵族所豢养优伶提供的娱乐方式主要是歌舞、戏谑或器乐演奏，优孟、优施、李延年、李龟年等皆是。而明中叶以后，"家乐"转以演戏为主——毕竟戏剧的魅力胜于单纯的歌舞或滑稽戏谑。而且，明中叶以后随着江南商品经济的发达和民间财富的积累,缙绅阶层豢养家乐的数量也绝非前代可比。

养家班的风气在江南核心区域最为流行,此类史料极多,最典型者如张翰(1513—1595)《松窗梦语》有:"(吴越)二三十年间,富贵家出金帛,指服饰器具,列笙歌鼓吹,招致十余人为队,搬演传奇。好事者竞为淫丽之词,转相唱和。一郡城之内,衣食于此者,不知几千人矣。人情以放荡为快,世风以侈靡相高,虽逾制犯禁,不知忌也。"养家班的风气至清中叶时,因清廷三令五申的禁止,才逐渐消歇。

明清时期缙绅阶层豢养的家班有何特点呢?我们且看曹雪芹《红楼梦》第五十四回的一段描写:

> 一时,梨香院的教习带了文官等十二人,从游廊角门出来,婆子们抱着几个软包,因不及抬箱,估料着贾母爱听的三五出戏的彩衣包了来。婆子们带了文官等进去见过,只垂手站着。贾母笑道:"大正月里,你师父也不放你们出来逛逛……薛姨太太、这李亲家太太都是有戏的人家,不知听过多少好戏。这些姑娘们都比咱们家姑娘见过好戏,听过好曲子。如今这小戏子又是那有名玩戏家的班子,虽是小孩子们,却比大班还强。咱们好歹别落了褒贬……听葵官唱一出《惠明下书》,也不用抹脸。只用这两出叫他们听个疏异罢了。若省一点力,我可不依。"文官等听了出来,忙去扮演上台……众人都鸦雀无闻……贾母便命个媳妇来,吩咐文官等叫他们吹一套《灯月圆》,媳妇领命而去。

以上文字提供了多方面信息:首先是贾府的家班人数十二人,有专门的教习;其次,这十二个小戏子来自"有名玩戏家的班子",水平很高,比职业戏班(大班)还强;再次,当时有钱人养戏班者很普遍,"薛姨太太、这李亲家太太都是有戏的人家";最后,家班除了演戏,还会其他技艺,如乐器演奏之类。

小说《红楼梦》提供的信息非常真实,完全可与其他文献相印证。如据梧子《笔梦叙》载万历年间常熟官僚钱岱(1541—1622)致仕归乡,有家乐"女优十三名",其中罗兰姐因"习舞折腰成病,归母家",故实际仍为十二名,其家门归属分别为:

> 末,王仙仙
>
> 小生,徐二姐
>
> 正旦,韩壬壬、罗兰
>
> 小旦,吴三三、周桂郎
>
> 老生,张寅舍
>
> 外,冯观舍
>
> 老旦,张二姐
>
> 备旦,月姐
>
> 大净,吴小三
>
> 二净,张五舍
>
> 小净,徐二姐

《笔梦叙》所谓"二净"即"副净","小净"即"丑","备旦"当即"贴旦",故钱岱家班实有(副)末、小生、老生、外、正旦、小旦、老旦、贴旦、大净、副净、丑十一门脚色(钱岱家班演戏之外,多习吹弹歌舞,故旦脚有叠脚)。

明中叶以来家班多为十二人,首先是因为南戏、传奇的"江湖十二脚色",多则叠脚、少则缺门。王骥德《曲律·论部色》云:"今之南戏,则有正生、贴生(或小生)、正旦、贴旦、老旦、小旦、外、末、净、丑(即中净)、小丑(即小净),共十二人,或十一人,与古小异。"且十二人的人数演习歌舞,最宜成队。

家班的小戏子多为女孩子(也有个别的家班主人养男伶者),一般十二岁左右(初买来训练时当更小),取其发育变声之前,年龄稍大便需遣散了。故钱谦益(1582—1664)《初学集》卷十六《冬夜观剧歌》有:

> 氍毹蹴水光盈盈,绣屏屈膝围小伶。十三不足十一零,金花绣领簇对行……

如财力允许,家班主人一般会聘请有名的教习教戏,如《笔梦叙》所载钱岱家的教习沈娘娘:

> 苏州人,少时为申相国家女优,善度曲。年六十余,探喉而出,音节嘹亮。衣冠登场,不减优孟。

家班主人如果是"有名的玩家",主人也会亲自指授。张岱《陶庵梦忆》说祁彪佳(1602—1645)之从兄祁豸佳"有梨园癖好":

> 止祥精音律,咬钉嚼铁,一字百磨,口口亲授,阿宝辈皆能曲通主意。

清王应奎《柳南随笔》载常熟绅士徐锡允事云:

> 家畜优童,亲自按乐句指授,演剧之妙,遂冠一邑。诗人程孟阳为作徐君按曲歌,所谓"九龄十龄解音律,本

事家门俱第一"，盖纪实也。

胡杰祉《侯朝公子传》说《桃花扇》的主人公侯方域"雅嗜声技，解音律，买童子吴阊，延名师教之，身自按谱，不使有一字讹错……梨园老底子莫不畏服其神也"。

潘之恒《鸾箫小品》中说家班主人吴越石"博雅高流"，说吴越石排演《牡丹亭》，"先以名士训其义，继以词士合调，复以通士标其式"，故其家戏子演《牡丹亭》时：

> 能飘飘忽忽，另翻一局于缥缈之余，以凄怆于声调之外。一字不遗，无微不极。

吴县人申时行(1535—1614)万历十一年曾任内阁首辅，万历十九年(1591)八月卸职后南归家居，蓄家乐一部。郑桐庵《周铁墩传》说："吴中故相国申文定公家，所习梨园为江南称首。"申时行的家班演艺如此受推崇，其时的职业戏班也必然服膺。

如果说当时的职业戏班演出更偏重表演技艺，所演多是老戏，那么在家班"有名的玩家"的调教下，家班演出更偏重戏剧精神意趣的传达，所演多为新戏及不断打磨的折子戏。故家班的存在，不但促使职业戏班搬演新戏，也促使其不断提高戏剧艺术追求，而不仅仅在技艺。

家庭戏班，当然有男有女，近代以前中国的职业戏班则清一色皆为男性，此种规则不知起于何时，或因优孟之属皆男性。至少自宋时，职业戏班已如此。宋周密《武林旧事》卷四记叙承应宫廷的杂剧班，"刘景长一甲八人"，除刘景长外，还有"戏头李泉现，引戏吴兴祐，次净茆山重、侯谅、周泰，副末王喜，装旦孙子贵"。这位"装旦"的孙子贵显然应为男子。

且承应宫廷的杂剧班虽为"班",所演以滑稽为主,故非真正意义的职业戏班。南宋理学家朱熹弟子陈淳(1159—1223)《上傅寺丞论淫戏札》云:

> 某窃以此邦鄙俗,当秋收之后,优人互凑诸乡保作淫戏,号"乞冬"。群不逞少年遂结集浮浪无赖数十辈,共相唱率,号曰"戏头",逐家哀敛钱物,蠹优人作戏,或弄傀儡。

陈淳此札提到其故里福建漳州"优人"所作之戏,不知哪类,或仍为杂剧院本一类。故其优人仍非职业戏班。

元代演出的南戏或杂剧者,家庭戏班演出有文献可证,职业戏班则未见。山西洪洞县明应王殿戏剧壁画,上题"大行散乐忠都秀在此作场",右上角落款"泰定元年(1324)四月"。画中七男、四女,居中者应为忠都秀(元著名女演员艺名多带"秀"字)。笔者颇疑此亦为家庭戏班,非职业戏班。

真正的职业戏班或在明代才出现,笔者所见较早的文献记载见于明陆容(1436—1497)《菽园杂记》卷十,云:

> 嘉兴之海盐,绍兴之余姚,宁波之慈溪,台州之黄岩,温州之永嘉,皆有习为倡优者,名曰戏文子弟,虽良家子弟不耻为之。其扮演传奇无一事无妇人,无一事不哭,令人闻之,易生凄惨,此盖南宋亡国之音也。其赝为妇人者名妆旦,柔声缓步,作夹拜态,往往逼真。士大夫有志于正家者,宜峻拒而痛绝之。

山西右玉县宝宁寺水陆画之一"往古九流百家诸士艺术众"乃明天顺年间(1460—1464)所绘,上层画士农工商医卜

元代山西洪洞县明应王殿戏剧壁画

星相。负剑者为士,荷锄担食者为农,背负工具者为工,挑担者为商。医人、卜者均有明显的职业标记。下层画十位戏曲演员,有生、旦、净、丑、末等各脚色。此画为当时民间职业戏班的真实写照。

明代中后期,中国商品经济,特别是江南经济有较大发展,导致社会风俗、文化等多方面的转变。职业戏班乘此契机,当有较大发展。王载扬《书陈优事》记康熙年间苏州职业戏班说:"时郡城之优部以千计,最著者惟寒香、凝碧、妙观、雅存诸部。衣冠宴集,非此诸部勿观也。"王载扬说苏州康熙年间有职业戏班上千部,或有夸张,但上百部应无问题。龚自珍《定续集》卷四《书金伶》载,乾隆四十九年(1784),苏州织造和扬州盐使为迎接乾隆南巡,从"苏、杭、扬三郡数百部"中精选演员和乐师,临时组成一个"集秀班"。吴敬梓《儒林外史》写到南京有戏班一百三十多班。清道光间仙游县令陈盛韶《问俗录》卷三载福建仙游演戏风俗云:"俗喜歌舞,春秋社报神诞,里巷婚丧,靡不演剧,而价亦廉。合邑六十余班,每班七八人,闽人通称曰'七子班'。乐操土音,别郡人终日相对,不达一语。"

戏班如此之多,艺术当然有优劣,水平高的称"坐城班",次等的为"江湖班"。坐城班的演艺是为当地官府和缙绅认可的,有资格被"换官身"入衙演出或在公私宴席上演出。林小泉嘉靖初年曾任苏州太守,何良俊《四友斋丛说》载其事云:"公余多暇日,好客,喜燕乐,每日有戏子一班,在门上伺候呈应,虽无客亦然。"这里伺候呈应的戏班必定是坐城班。本地如有戏馆,自然也是坐城班才有资格演出。乡间因酬神祭祀,为示郑重,也会高价聘请坐城班。张岱《陶庵梦忆》载绍兴祭祀严助的演出云:"夜在(严助)庙演剧,梨园必请越中上三班,或雇自武林者,缠头日数万钱。"

江湖班四处漂泊求生,当然没有坐城班日子舒服。"坐

明天顺年间绘山西右玉县宝宁寺水陆画之一"往古九流百家诸士艺术众"

城班"、"江湖班"的区分,近代犹然。刘焕林《澄西农村的演剧和杂戏》文(《民众教育》5卷4—5期,1937):"江阴做京戏的人,是一种专门的职业。他们这种组织,叫做班子……他们住在一起,互相合作,到处流浪。除了一二副班子有一个长期的戏院在都市外,一般都是像水里的浮萍,东西飘荡的。"

当然"坐城班"、"江湖班"并非全无联系,艺之精者本在江湖班,也可加入坐城班;坐城班也可能有淘汰,年老的戏子可能被江湖班聘请教戏。职业戏班为了生存,不得不在艺术上努力追求。如侯方域《马伶传》写到明末南京最有名的两个戏班兴化部、华林部唱对台戏,同时演出《鸣凤记》,很多看客当场品评高低。兴化部净脚马伶扮严嵩,不及华林部的李伶,致使兴化部败北。马伶自惭技不如人,奔往北京某相国家,"求为其门卒三年",朝夕观察、揣摩。后重返南京,再与华林部比赛,大获全胜,李伶甘拜下风。

职业戏班与家班也有艺术交流。如前引据梧子《笔梦叙》提到的钱岱家伶人罗兰姐,《笔梦叙》又云:"罗兰姐者,其父为罗鸣九,瑞霞班老旦。瑞霞班为郡中第一,而罗又为瑞霞子弟中第一。"可见罗兰姐应得其父亲授。又如《桃花扇》写到的苏昆生(1605?—1679),其演艺颇得一些文人欣赏,吴伟业曾将其推荐给水绘园主人冒襄,云:"大梁苏昆生兄,于声音一道,得其精微,四声九宫,清浊抗坠,讲求贯穿于微妙之间……水绘园中不可无此客。"(《同人集》卷四)苏昆生应出身职业戏班,但也曾为家班教习,这样的人自会促进职业戏班、家班的艺术交流。

清乾隆中叶后,除满清宗亲外,缙绅家班已湮没无闻。家庭戏班因演艺水准有限,早已退出真正的戏曲演出,故职业戏班乃成为中国戏曲唯一的演出载体,旦脚皆是清一色的"男旦"了。士大夫的艺术趣味在过去或可通过家班间接影响职业戏班,如今已不可能。为迎合普通观众趣味,职业戏班更加偏重技艺性一面,名角班的出现既是商业利益的推动,也是历史累积使然。

古代戏曲的剧场

由于中国戏曲舞台时空的营造，主要依赖演员的舞台提示以及观众默契的想象共同完成，并不需要西洋戏剧写实的布景，故中国戏曲的演出对演出场所几乎无所要求，只要有演员容身之地即可。简陋的可以是"画地为场"，或草草搭成的"草台"、人声嘈杂的酒馆、停泊岸边的船舫等，讲究的可以是神庙前的舞楼、戏台，或现代豪华剧场。

但实际上，不同的演出场所（我们现在统称为"剧场"）往往对应不同的戏剧演出形态。有鉴于此，我们以下主要依据演出场所的性质，将中国古代戏曲的剧场归为三大类，即：庙台演出、厅堂演出和戏园演出。

庙台演出，大多与神灵信仰、宗教祭祀活动相关。中国戏曲最初即应形成于这样的演出环境，此后庙台演出也是中国古代戏曲生存最重要的形态，其观众也是最多的。

在中国正式戏曲形成之前，在祭祀神灵的各类活动中即有向神灵奉献歌舞、百戏的行为。《尚书·伊训》说商人："恒舞于宫，酣歌于室，时谓巫风。"《诗经·陈风》有《宛丘》诗云："坎其击鼓，宛邱之下，无冬无夏，治其鹭羽。"又《东门之枌》诗云："东门之枌，宛邱之栩，子仲之子，婆娑其下。"屈原《九歌》之作当源于楚地巫风，王逸《楚辞章句》谓："沅湘之间，其俗信鬼而好祠，其祠必作歌乐鼓舞，以乐诸神。"南宋西湖老人《西湖繁胜录》记述到人们在钱塘门外霍山神行祠，有马社行献，"沿路迎引到庙上露台上相扑，捧正殿妓乐、社火酬献。庙前拥挨，轿马盈路"。前引陈淳《上傅寺丞论淫戏札》当亦是此类。

在中国传统乡村社会,民众的贫困是极其普遍的,但乡民于神灵之奉祀则竭尽其诚。中国正式戏曲形成之后,乐神之乐自然为戏剧,而非歌舞、百戏。元至元七年(1270)《重修真泽二真人祀记》云:

> 上党之俗质直好礼,勤俭力穑……然独丰于事神,凡井邑聚落之间,皆有神祠,岁时致享。其神非伏羲、神农、尧、舜、禹、汤,则山川之望也。以雩以荣,先稷邮畷,皆于是奔走焉。岁正月始和农事作,父老率男女数百人会于里中祠下,丰牲洁盛,大作乐,置酒三日乃罢,香火相望,比邑皆然。至十月农时毕乃止,岁以为常。

神庙所在之处则大都有专门的戏台。戏台大都建于正殿前,坐南向北,如下图所示。

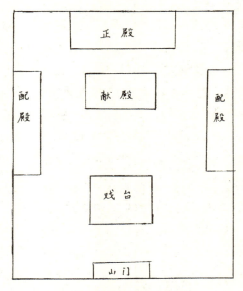

庙宇戏台位置示意图

196

元代山西临汾魏村牛王庙戏台（车文明摄）

清康熙时仁和郁永河《台海竹枝词》有：

> 肩批鬖发耳垂珰，粉面朱唇似女郎（自注：梨园子弟
> 垂髫穿耳，傅粉饰朱，俨然女子），妈祖宫前锣鼓闹，侏儒
> 唱出下南腔（自注：闽以漳泉二郡为下南，下南腔即闽中
> 声律之一种）。

闽台地区崇奉妈祖甚盛，此竹枝词描绘的即是职业戏班
在妈祖宫前演戏，宫前当有戏台。当然也有临时搭建的戏
台——"草台"。清元和人袁学澜《吴郡岁华纪丽》卷二《春台
戏》说：

> 苏州戏班名天下……承平日久，乡民假报赛名，相

习征歌舞。值春和景明，里豪市侠搭台旷野，醵钱演剧，男妇聚观。众人熙熙，如登春台，俗谓之春台戏。抬神款待，以祈农祥。台用芦苇蔽风日，谓之草台。

明清时期因工商业的发展，外埠商人为洽谈业务、协调市场、联络乡谊，在各地自发组建工商业会馆，这些会馆又往往成为同乡官吏、文人暂时驻足之所，故后来北京等大城市之会馆又往往成为同乡官员联络乡谊之地。明沈德符《万历野获编》载："京师五方所聚，其乡各有会馆，为初至居停，相沿甚便。"会馆一般都会供奉一些地方戏神灵，如妈祖、关帝、财神及各种行业神，"盖夫会馆之设，所以答神庥、睦乡谊也"（《重修东齐会馆碑记》），"会馆之设，迓神庥，联嘉会，襄义举，笃乡情，甚盛典也"（《潮州会馆碑记》）。会馆内一般会建有戏台。嘉庆十九年刻本《彭山县志》卷三《风俗志》载川中会馆演剧云：

> 五月十三日，为关圣大帝降诞，秦人会馆工歌庆祝。六月初六日，为镇江神降诞，楚人会馆演剧庆祝。凡舟楫贩商者，多攒金祭赛……八月初三日，为六祖会，粤省人演剧庆祝。

近人齐如山《戏班》谓："前清时代，北京工商界各有各行……各行有各行之会馆者，亦有公所。每值新春团拜，或值祖师生日，亦必演戏庆祝，大行一行独演，小行则数家合演，此名曰行戏。"

除公众普遍参与祭神酬神演出外，明清时期家族祭祀、酬谢祖先，也有请戏班演戏者，有的家族竟把祭祖演剧列入族规。《（萧山）汪氏大宗祠祭规》（嘉庆七年刊）"春秋演剧例"有：

> 春秋祭毕，向无演剧之事，岁在壬寅，因祭费有余，不便分析，故于秋分祭毕，演戏二台，以敬祖先。今遂为例。每年秋祭毕，预先雇定梨园一部。约上、中班，以两一本为率，共二本，贪贱，定下班，罚钱。祭毕，先演秋分戏，晚补演春分戏。戏台搭在祠前河涯。

凡酬神祭祖都是大事，为示郑重，一般都会高价聘请有名戏班。光绪十七年新昌知县朵如正撰《重修城隍庙碑记》（民国八年印《新昌县志》卷五）有：

> 六堡绅士轮流管值，周而复始……每年赛神，必定邵郡名班，戏值昂贵，与夫往还接送程资，耗费不鲜。议大东堡始，改用嵊班。

庙台演出中，观众多为不识字的愚夫愚妇，故所演多是有头有尾、通俗易解的全本戏，《琵琶记》及"荆"、"刘"、"拜"、"杀"一类最受欢迎。张岱《陶庵梦忆》"严助庙"条：

> 夜在庙演剧，梨园必倩越中上三班，或雇自武林者，缠头日数万钱。唱《伯喈》、《荆钗》，一老者坐台下对院本，一字脱落，群起噪之，又开场重做。越中有"全伯喈"、"全荆钗"之名起此。

相对庙台演出的郑重其事，厅堂演出则主要是人间娱乐。在中国传统社会，凡婚丧嫁娶、贺诞庆寿、举子升迁等宴待宾客，皆需循"礼"，有"宴"必有"乐"。中国戏曲形成以前，宴时多以歌舞、杂戏等娱宾。《太平广记》卷二五七引《王氏见闻录》载封舜卿在四川看戏事：

> 及封（舜卿）至蜀，置设。弄参军后，长吹《麦秀两歧》，于殿前施茇麦之具，引数十辈贫儿，褴缕衣裳，携男抱女，挈筐笼而拾麦，仍合歌唱，其词凄楚。

五代范资《玉堂闲话》云：

> 唐营丘有豪民姓陈……每年五月值生辰，颇有破费。召僧道，启斋筵，伶伦百戏必备。斋罢，伶伦赠钱数万。

中国戏曲形成以后，随着戏班演技的进步，戏班演出则进一步由庙台走向厅堂。厅堂中演出真正戏剧元代或已有之，惟自文献看多集中于明中期以后。浙江永嘉人周旋《畏庵文集》卷十载明成化年间事云："臣闻苏、松之与京畿豪富之家，宾客饮演……丧事举行……张乐娱尸，搬戏骇俗。"此所谓"戏"应是南戏、杂剧一类。江宁人顾起元《客座赘语》卷九"戏剧"条则明确提到厅堂演出杂剧、南戏：

> 南都万历以前，公侯与缙绅及富家，凡有燕会，小集多用散乐，或三四人，或多人，唱大套北曲……若大席，则用教坊打院本，乃北曲大四套者，中间错以撮垫圈、舞观音，或百丈旗，或跳队子。后乃变而尽用南唱，歌者只用一小拍板，或以扇子代之，间有用鼓板者。今则吴人益以洞箫及月琴，声调屡变，益为凄惋，听者殆欲堕泪矣。大会则用南戏，其始止二腔，一为弋阳，一为海盐。

　　厅堂演出一般是在大厅中摆上地毯（所谓"红氍毹"）作为演出场地，周围设桌席供宾主观赏，女眷则隔帘观看，如明万历刊本《金瓶梅词话》插图所示。

　　宴请宾客多是请职业戏班搬演而非家班，如《金瓶梅词话》第六十三回写李瓶儿丧期，请了"海盐戏子"搬演《玉环记》。据梧子《笔梦叙》说钱岱："宴外宾，演剧多用梨园；而女乐但用之家乐，惟先生常得寓目焉，余虽至戚莫得见。"钱岱如此，其他家班主人或亦然。这也就是说，家班伶人乃主人私有之物，一般秘不示人。明万历时松江人潘允端《玉华堂日记》即多次写到吴门梨园赴宅演剧事。如家班主人有雅兴，在高朋满座的风雅之会，也可能有家班演出。金埴《巾箱说》载康熙四十三年（1704）江宁织造曹寅曾为洪昇举办高会：

　　　　曹公素有诗才，明声律，乃集江南江北名士为高会，独让昉思居上座，置《长生殿》本于其席。又自置一本于席。每优人演出一折，公与昉思雠对其本，以合节奏。凡三昼夜始阕。两公并极尽其兴赏之豪华，以互相引重，且出上币兼金犒行。长安传为盛事，士林荣之。

　　曹寅家置有家班，此会承担演出的应为其家班。

　　厅堂演出既然是娱乐宾客，为了显示主人之热诚，顾及颜面，所请戏班自然也一般是"坐城班"或"上班"。清张牧《笠泽随笔》云："万历以前，士大夫宴乐，多用海盐戏文娱宾，间或用昆山腔，多属小唱。若用弋阳、余姚，则为不敬。"这是因为"海盐多官语"，海盐戏子较之使用土语的弋阳、余姚戏班，其演艺应胜出一筹。万历以后，采用官语的苏州昆班当然更为缙绅青睐了。李绿园成书于乾隆四十二年（1777）的

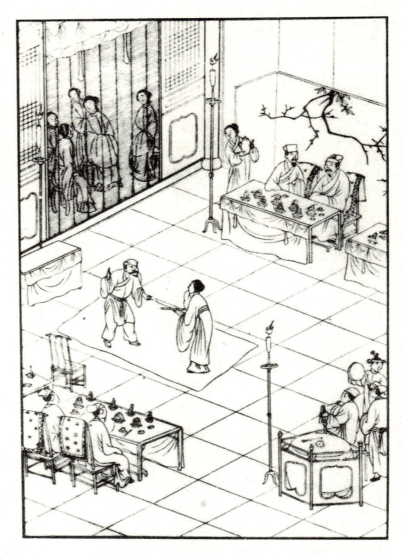

明万历刊本《金瓶梅词话》演出《玉环记》"玉箫寄真"插图

小说《歧路灯》第九十五回河南抚台设公宴,宴请二司两道等官僚:

> 这门上堂官,便与宣传官文职、巡绰官武弁,商度叫戏一事。先数了驻省城的几个苏昆班子——福庆班、玉绣班、庆和班、萃锦班。说:"唱的虽好,贴旦也罢了,只那玉绣班正旦,年纪嫌大些。"又数陇西梆子班、山东过来弦子戏、黄河以北的卷戏、山西泽州锣戏、本地土腔大笛嗡、小唢呐、郎头腔、梆罗卷,觉俱伺候不的上人。

赛社酬神往往一连三日或更多,故庙台演出多全本戏,而厅堂宴会受时日所限,演出折子戏更便于宾主,即使演出本戏,也往往删减很多。小说《金瓶梅》第六十三回写海盐子弟搬演戏文《玉环记》,西门庆很不耐烦,"催促子弟,快吊关目上来,吩咐拣着热闹处唱罢"。清李渔《闲情偶寄》也说道:

> 然戏之好者必长……非达旦不能告阕。然求其可以达旦之人,十中不得一二,非迫于来朝有事,即限于此际之欲眠。往往半部即行,使佳话截然而止。予尝谓:"好戏若逢贵客,必受腰斩之刑。"……尝见贵客命题(即"点戏"),止索杂单(即折子戏),不用全本。皆为可行即行,不受戏文牵制也。

庙台演出皆稠人广众,愚夫愚妇居多,厅堂演出观众多缙绅一流,座中不乏知音人士,故优人一般更加谨慎。张岱《陶庵梦忆》写到其一次应邀赴宴云:

> 姚简叔期余观剧。傒僮下午唱《西楼》,夜则自串。

僎僮为兴化大班。余旧伶马小卿、陆子云在焉,加意唱七出戏,至更定,曲中大咤异。杨元走鬼房问小卿曰:"今日戏,气色大异,何也?"小卿曰:"座上坐者余主人。主人精赏鉴,延师课戏,童手指千僎僮到其家谓'过剑门',焉敢草草!"

原来张岱家旧日伶人得知"精赏鉴"的旧主在座,故倍加小心,如"过剑门"。

笔者所谓戏园演出,实即商业性演出,庙台演出是民众共同筹资,厅堂演出是主人独家承担,戏园演出则是观众个人买票入场看戏。

从现存史料看,"勾栏"(或称"勾阑"、"构栏")作为一种四周围有栏杆的表演区,虽早在唐宋时的城市瓦舍中已出现,但其时未必是凭票入场的,所表演的也是歌舞、说唱或杂耍百戏一类。孟元老《东京梦华录》"元宵"条:"楼下用枋木垒成露台一所,采结栏槛……教坊钧容直、露台子弟,更互杂剧……百姓皆在露台下观看。"直到金元时,勾栏中所演出的仍大都多是简单的耍乐院本一类,但彼时已是交钱才能入场。金遗民杜仁杰【般涉调·耍孩儿】《庄家不识勾栏》套曲有:

【六煞】见一个人手撑着橡做的门,高声的叫"请请",道"迟来的满了无处停坐"。说道"前截儿院本调风月,背后么末敷演刘耍和"。高声叫:"赶散易得,难得的妆合。"

【五煞】要了二百钱放过听咱,入得门上个木坡,见层层叠叠团圆圞坐。抬头觑是个钟楼模样,往下觑却是人旋窝。见几个妇女向台儿上坐,又不是迎神赛社,不住的擂鼓筛锣。

勾栏有门可开关,这位庄稼人交了二百钱才得入场,勾栏看客已很多,所以把门的说"迟来的满了无处停坐"。勾栏内可能是家庭戏班在演出,男性负责演出,女子负责伴奏。元代各地勾栏很多,故元夏庭芝《青楼集志》说:"内而京师,外而郡邑,皆有所谓构栏者。辟优萃而隶乐,观者挥金与之。"前引南戏《错立身》、杂剧《蓝采和》,以及《南村辍耕录》"勾阑压"条,皆有关勾栏演出,且所演出的都是南戏、杂剧一类。

但商业性演出也未必都在勾栏,也可以是寺庙中。明万历时上元人周晖《金陵琐事剩录》卷四载:

> 正德丙子(1516)以后,内臣用事南京守备者十余人,蟒衣玉带。其名下内臣,以修寺为名,各寺中搭戏台扮戏。城中普利、鹫峰,城外普德、静海等处搬演。各处传来扮戏棍徒,领其妻女,名为真旦。人看者,钱四文,午后二文至一文。每日处得钱拾余千。彼此求胜,都人生不理。风俗大坏。守备明出告示,每月积钱守备名茶果,磕头。如此者,至武宗南巡始罢。

在南京各寺中演出的应为家庭戏班,所演也应是南戏、杂剧一类。但自此以后,直至清康熙时北京、苏州戏园出现之前,笔者未见有商业性演出的相关文献记载,勾栏或商业性演出竟然与家庭戏班一道湮没无闻了!

自清初以来,朝廷三令五申禁止百官畜养优伶,故明中叶以来的家乐豢养之风渐次消歇,官绅逢宴多感不便。作为补偿的是,作为城市商业经济发展的自然结果,自康熙年间始北京、苏州等地先后出现了一些商业性戏馆。戏园乃游乐之所、挥金之地，京城乃天子脚下，康熙、雍正、乾隆、嘉庆各朝均严令禁止八旗子弟、官员等出入戏园，故彼时戏园不便直称"戏园"，乃名以"××楼"、"××园"或"××堂"，假借为酒楼、茶园、饭庄，在提供宴饮同时，也提供演剧，戏资包含于酒饭中。嘉庆以后，或以戏为主了。安徽泾县人包世臣（1775—1855）《都剧赋序》说到嘉庆时北京戏园内布置云：

> 嘉庆十四年春，予以随计始至都下，凤闻俳优最盛，好事招邀遍阅各部。其开座卖剧者名茶园，午后开场，至酉而散。若庆驾雅集，召宾客则名堂会，辰开亦酉散。其为地度中建台，台前平地名池，对台为厅，三面皆环以楼。堂会以尊客坐池前近台，茶园则池内以人计算，楼上以席起算。故平坐池内者，多市井儇侩，楼上人谑之曰下井。若衣冠之士，无不登楼。楼近剧场，右边者名上场门，近左边者名下场门，皆呼官座，而下场门尤贵重，大抵达官少年前期所豫定。堂会在右楼为女座，前垂竹帘（按：女座在楼上，今犹然，然不分左右，竹帘则无之久矣），楼上所赏者，《半目挑心招》《钻穴逾墙》诸剧，女座尤甚。

包世臣以上的记述，如结合以下两图来看，大概可知当时戏园情况。

甲午战争以后，商业资本在中国东部等交通便利的城市有更大的发展，在上海、天津、青岛、汉口、济南、南京等城市先后出现了更加专门化的商业性戏园，甚至现代化的新式剧场，戏园可容纳观众大大增加，其内部卫生、通风等较过去老戏园也都有极大改善。

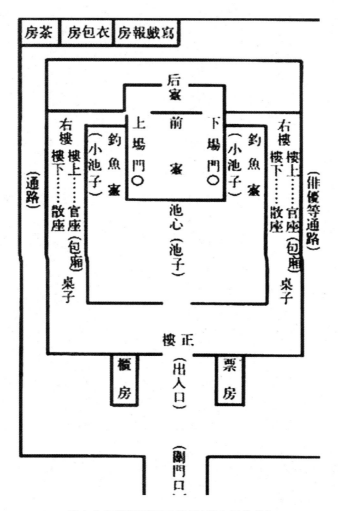

清末北京茶园平面示意图(青木正儿绘)

清光绪年间北京茶园演戏图

从中国戏曲史来看,宋元时商业性的勾栏所上演的多非真正的戏剧,其意义非常有限。入明以后,商业性的勾栏演出一度消失近三百年。清康熙以来,商业性戏园的出现对花部戏进入城市且站稳脚跟,有极大的意义。近代商业性戏园的出现,则直接推动了名角班的出现。

1949 年以前,庙台、厅堂和戏园三类剧场并存,各自发挥其不同功能,吸引着不同的观众群。但 1949 年以后,庙台演出有涉"封建迷信",很多庙台被拆毁。新社会的移风易俗,八小时工作制的实行,使得厅堂演出也失去其土壤。这样,新式剧场几成为唯一的演出场所。中国本土戏剧近代以来的生存日益艰难,有多种原因。从剧场史的变迁来看,我们也可以得出一种解释。

古代戏曲的搬演与演出习俗

中国古代戏曲的搬演与演出习俗涉及很多内容,我们此节仅就以下三方面略作介绍。

一、破台与吉祥戏

古代戏曲的演出一般是在戏台上进行,但戏台新成或新修,不能直接演出,须有"破台"的仪式,以避免演出中出现演员死亡、摔伤等意外事故。梨园行人对戏台方位也很讲究,坐东的戏台称"青龙台",坐西的称"白虎台"。戏班最忌白虎台,旧有"青龙头上屯军马,白虎头上莫扎营"的说法,如果要想在白虎台上唱戏,就必须有破台仪式进行禳解。

"破台"也称"踩台"、"镇台"、"打台",各地所行破台仪式有繁有简,不尽相同。破台一般都在阴气最盛的子时初刻(夜十二点),有演员扮灵官、煞神、鲁班、城隍、神将等神灵,另有演员扮妖邪(如女鬼、老虎等),在锣鼓声中,神灵率众追逐、驱赶妖邪,最终焚烧妖邪(一般事先准备好纸扎的女鬼或老虎,扮妖邪的演员逃走时将纸扎的女鬼或老虎扔给神灵,最后纸扎女鬼或老虎被焚烧)。然后杀一公鸡,将鸡血甩在台面、台角、栏杆等处。简单的破台是在台正中挂宝剑一口,在后台墙上挂红须,表示判官临场即可禳解。也有的地方则是戏班领班、会首焚香顶礼,烧"黄元"(纸),祈请神灵护佑,燃放鞭炮。

每年初戏班在台上首次演出或"台口"少(承接的演出生意少),戏班也会举行破台仪式。

"破台"之后,一般是演出《跳加官》、《跳财神》、《天官赐福》、《百寿图》、《文昌点魁》、《八仙庆寿》、《六国封相》等一类吉祥小戏,有的地方称"帽儿戏"或"等戏",等待观众陆续入场,以便上演正戏。这些"帽儿戏"或"等戏"其实与"破台"一样,也主要是一种仪式,驱邪祈福。

二、定戏与点戏

宋元勾栏演出时戏班会悬挂出海报性质的"招子",后来的戏园则通过"摆台"、张贴"报条"及海报等形式向观众提供戏目信息。而庙台演出则有提前"定戏",厅堂演出则有临时"点戏"。

旧戏班中有专门负责"跑台口"(或称"跑外水")的,即联系业务的人,一般头脑灵活、善交际的人才能胜任。这样的人对跑江湖的"江湖班"而言,尤其重要。"跑台口"的所联系的对象主要是各地的"会首"、"会长"("执事")或"族长"。"会首"又称"社首"、"首事",主要是各地庙宇神灵祭祀的负责人,多由当地乡绅或有名望者担任。各地会馆主要由商人出资筹建,负责宴集公会的多是商人们共推的会长或专门轮值的"执事"。家族祭祀一般由族长主持,宴会演剧自然须经其认可。"跑台口"的与"会首"等所商定的戏一般为故事首尾完整的本戏,明慧《诸暨的民间戏剧》一文载:

> 徽戏,它的内容和技术,大都像京戏。所以也许是"京"的别称。价钱很贵,普通每演一本,总需二十至六十元。演员颇多,每班有人数十人至三十人左右。设备完善,技术也佳,剧目像《渭河水》、《二进宫》等都是。

但乾隆中叶以来,艺术上不断打磨的折子戏更为上层人士欣赏,故至迟清同治以来堂会演出多演折子戏。由于戏目也需提前预定,堂会演出多是各班名角荟萃,戏单戏目的排序不准"翻场"(历史故事剧须按历史先后顺序),且须顾及名角的知名度,故戏单排序不易,办堂会的主家一般需要邀请懂戏的"戏提调"与戏班的人商谈。据周明泰《道咸以来梨园系年小录》载,光绪七年(1881)二月张文达等团拜,在西河沿钱行会馆正乙祠演堂会,所定戏目如下:

> 二月二十七日正乙祠堂会,不带灯,一准午正前开戏,莫误。
>
> 《富贵长春》——连桂
>
> 《渭水访贤》——福盛
>
> 《功臣全宴》——长山、笑云、芷孙
>
> 《太师回朝》——宝庆
>
> 《辕门射戟》——素云
>
> 《甘露寺》——素云、小八、连奎、周五
>
> 《变羊计》——赶三、宝芬、多云
>
> 《打瓜园》——麻德子、四十、八十、如福
>
> 《二进宫》——许处、怡云、何九
>
> 《送回面》——荣仙、麻德子
>
> 《长坂坡》——菊升、黄三、宝峰、麻德子、沈三元
>
> 《盘丝洞》——梅巧玲、四十、八十、如福

这样的演出次序,各方均应满意,"戏提调"功不可没。

厅堂演出如演全本戏,也是提前定戏,但明末以来厅堂演出中折子戏更便于宾主,演折子戏则有临时"点戏"。"点戏"的风俗似由来已久,唐崔令钦《教坊记》有:"凡欲出戏,所司先进曲名,上以墨点者即舞。不点者即否,谓之进点。"反

映明末清初社会风气的小说《梼杌闲评》即写到"点戏",非常具体:

> 戏子叩头谢赏,才呈上戏单点戏。老太太点了本《玉杵记》……等戏做完,又找了两出,众女眷起身,王太太再三相留,复坐下,要杂单进来。一娘拿着单子到老太太面前。老太太道:"随他们中意的点几出罢。"女眷们都互相推让不肯点。一娘走了一转,复拿到老太太席前道:"众位太太、奶奶都不肯点,还是老太太吩咐是个正理。"……王奶奶笑道:"不要推我们,一家点一出。"一娘要奉承奶奶欢喜,遂道:"小的告罪了,先点一出《玉簪》上《听琴》罢。"他意中本是要写自己的心事燥燥脾,别人怎知他心事。又有个杨小娘,是王尚书的小夫人,道:"大娘,我也点出《霞笺·追赶》。"大娘笑道:"你来了这二年,没人赶你呀!我便点出《红梅》上《问状》,也是扬州的趣事。"一娘遂送出单子来。戏子一一做完,女客散了,谢酒上轿而去。阶下响动鼓乐送客。客去完了,一娘也来辞去。

"点戏"一般由宴席上的最尊贵者决定,小说此回写的是为王老太太祝寿唱戏,她"点戏"是当仁不让,即使她发扬民主,其他人受命"点戏"也须要"奉承奶奶欢喜"。

三、演出程序

厅堂演出多是临时"点戏",戏目次序无所谓定规。正戏前一般先演一出吉祥类小戏,如庆喜祝寿则为《八仙庆寿》、《麻姑献寿》、《天官赐福》、《六国封相》一类,弥月庆则是《卸甲》、《封王》(均来自《满床笏》)以及《双观星》、《五子夺魁》之类,其后折子的排序则不定。近代的堂会演出,如是名角荟萃,一般提前预定,齐如山《京剧之变迁》云:"从前堂会,大致无预订戏目,来宾可随时随意点戏。如今未演之前,均须预订各脚均演何戏,临时更动者不多见矣。"

故值得考察的是庙台演出及城市商业戏园演出程序。早期的情况,文献缺少明确记载。近代预定的戏班按时抵达台口或戏班在戏园开演前,一般都以锣鼓、丝管"开台"(或称"吹台"、"闹台"),"三通"之后始开演。"开台"有预告观众、招徕观众的作用。嘉庆十八年《都门竹枝词》中有"园中官坐列西东,坐褥平铺一片红。双表对时交未刻,到来恰已过三通"。可见嘉庆时戏班在戏园演出都是下午两点(未时)开演,开演前有锣鼓"三通"。杂剧《蓝采和》第四折中有:"我先去收拾撺鼓者,看有什么人来。"前引陶宗仪的《南村辍耕录》有"每闻勾栏鼓鸣则入"。可见锣鼓、丝管"开台"由来已久。

戏班"开台"后,一般先演一到三出仪式性质的小戏,如《跳加官》之类。正戏开演之前,则有"副末开场",或称"报台"、"报开场"。梅兰芳《舞台生活四十年》如此描述:

> 他的(副末)打扮是头戴开场巾(就同诸葛亮戴的八卦帽相仿),身穿黄色的"开氅",腰系丝绦,两只手老拱在胸前不动。上场走到台口,向台下说几句话,也是一定的台词,说完了就下场,没有身段的。所以他同前面两个角色的工作正相反,他是"只开口,不动手",这种花样老早就取消不用了。

近人戴不凡(1922—1980)《金华昆腔戏》文回忆到浙江金华一带的"报台"说:

管理戏班的称"行头主"或"班主",但他往往也是一个登场的角色,且多以演外、末或二花脸者居多。在演"正本"戏之前,有些班子的班主要穿红衣带纱帽,先出台坐在正中的椅子上念说几句,这或许就是书上所说的"副末开场"吧。

按南戏、传奇,"副末开场"之后当然正戏即开演了,但近代庙台演出正戏前一般有三四出"找戏"(或称"饶戏")。戴不凡《小说见闻录》有:

我幼时看金华戏昆腔班、三合班等都有"找戏"。凡祠庙正式做戏,每场演出均有一定之"老规矩",不得短欠,演出次序如下:

1. 排八仙 2. 三跳(天官赐福、跳财神、跳魁星)
3. 找戏(一至三或四出) 4. 正本戏(但并非全本,而只是其中若干重要场子)。每天日场如此,晚场亦如此。"找戏"云云,有"前三出"之意,均是短剧,文武不拘。我疑应作"早戏"。

胡忌《宋金杂剧考》详引《莆剧谈屑》文,说到福建莆仙戏演出程序时是:

一、演出前,后台先打"三锣鼓"。

二、三锣鼓之后,有彩棚,彩棚时内念四句大白,念完,唱下词尾。

三、接着便是"头出末",内白"发彩"后,生出场,念四句的开场白。

四、戏开演后,首段是断片的演出,如《潘必正》仅演

《探病》、《幽会》两折,《祝英台》仅演《访友》、《吊丧》两折,或演历史剧。首段演完,才演正剧,俗称"透场",一般是大团圆的全本戏。

五、正剧终,故事不得团圆时,后台便唱"落平"曲,等候扮演团圆的角色上台。

六、团圆后,接着是"过棚",演员退入化妆室,仅后台三人(鼓吹锣)吹打【梧桐树】或【皂角儿】。

七、杂扮,俗称末出,多演出滑稽讽刺的短剧。

八、末出演完,便是"状元游街"。至此,全部戏的演出才告结束。

《莆剧谈屑》文说,除以上八种形式外,还有《加官》、《弄八仙》两种,凡属喜庆的戏总有《加官》,凡庆寿或神明圣诞便《弄八仙》。

《莆剧谈屑》文所谓"断片的演出",显然属于"找戏"。"正戏"结束后,还有"送客戏",《莆剧谈屑》文所谓"扮演团圆的角色上台"即是。近代京班多称之为《金榜》或《老旦做亲》,即由老生演员头戴金花、纱帽,身穿红官衣,足蹬厚底靴的人物,但不戴髯口(胡须),老旦演员则白发,头戴老旦凤冠,身穿红官衣。两人无名姓,分别多年后终究封赠团圆,二人感谢皇恩,恭祝观众五福临门。

"送客戏"是因为一些观众看完戏后意犹未尽,在观看"送客戏"中渐感乏味,陆续离场。"送客戏"之后,戏班场面则继续吹奏送客。

以上演出程序,可能是清中叶以后的基本情形。此前的演出中,"正戏"之前可能不一定有"找戏"。

清中叶以来,戏园演出程序也一般有定规,清道光时人杨懋建《梦华琐簿》云:

今梨园登场,日例有三轴子。早轴子客皆未集,草草开场。继则三出散套,皆佳伶也。中轴子后一出曰压轴子,以最佳者一人当之。后此则大轴子矣。大轴子皆全本新戏,分日接演,旬日乃毕。每日将开大轴子,则鬼门换帘,豪客多于此时起身径去。

《梦华琐簿》所谓"中轴子"一般三四出,"大轴子"前的一出为"压轴子"。梅兰芳《舞台生活四十年》回忆旧科班的演出,可与《梦华琐簿》相印证:

科班的演唱是练习的性质,不采用角儿制度。它的习惯,以戏为主体,而特别注意武戏。每天的戏码是这样排列的:拿容纳角色最多、场面最热闹的大武戏,如《长坂坡》《蚰蜡庙》等最后一出,叫大轴戏。拿生、旦、净、丑合唱的文戏,如《二进宫》《教子》等放在倒第二,叫压轴戏。倒第三是玩笑戏。倒第四又是武戏。倒第五六是青衣或老生单人演唱的如《祭江》《祭塔》《卖马》《乌盆记》等戏。前三出里还有一出小武戏。这一天的戏码,总共有十出以上(另外常有垫戏)。

近代戏班由脚色制戏班转变为名角制戏班,唱"压轴"的必定是戏班挂头牌的名角,其他戏目的排序也必定要考虑各"角儿"的知名度。质言之,乃是以"人"为主体,而非以"戏"为主体。名角班的这种作风首先开始于城市中的戏园,而后渐流行于民间庙台演出,直至今日剧场演出仍有其遗风。